Des Kaisers

Marcus Aurelius An[...]

Selbstbet[...]

[handwritten dedication, partly obscured:]
Für [...]
mit [...]
für "Leadership"
and Personality"
am 18. Mai 2000.
[signature]

ÜBERSETZUNG,
EINLEITUNG UND ANMERKUNGEN VON
ALBERT WITTSTOCK

PHILIPP RECLAM JUN. STUTTGART

Umschlagabbildung: Marc Aurel. Reiterstandbild, einst auf dem Kapitol in Rom.

Universal-Bibliothek Nr. 1241
Alle Rechte vorbehalten
© 1949 Philipp Reclam jun. GmbH & Co., Stuttgart
Gesamtherstellung: Reclam, Ditzingen. Printed in Germany 1999
RECLAM und UNIVERSAL-BIBLIOTHEK sind eingetragene Marken
der Philipp Reclam jun. GmbH & Co., Stuttgart
ISBN 3-15-001241-4

Einleitung

In Athen gab es eine alte Säulenhalle, auf der nach dem Volksglauben ein Fluch lastete, seit hier unter der Herrschaft der dreißig Tyrannen vierzehnhundert Bürger den Tod durch Henkershand erlitten hatten. Diese stillen Räume, die ein Jahrhundert lang mit scheuem Blick gemieden worden waren, fingen eines Tages an, sich zu beleben. Etwa um 300 v. Chr. versammelte hier ein Philosoph seine Schüler um sich. Nach und nach strömte man aus allen Gegenden herbei, ihn zu hören. Selbst Könige wurden seine Anhänger. Seine Lehre wurde nach dem griechischen Worte Stoa, das Säulenhalle bedeutet, Stoizismus genannt, und daß diese Philosophie gerade von hier aus ihren Ursprung nahm, charakterisierte sie von vornherein als Freundin der verfolgten Tugend.

Der Philosoph, zu dessen Lehre sich bald alle Edlergesinnten, alle, die durch die Sittenlosigkeit jener unglücklichen Zeit noch nicht gänzlich verdorben waren, bekannten, war ursprünglich ein reicher Kaufmann gewesen. Er stammte aus Zypern und wurde auf einer Reise nach Phönizien, die er in Handelsgeschäften unternommen, durch Schiffbruch an die Küste Attikas geschleudert. Den Verlust seines Vermögens beklagend, irrte er einige Zeit trostlos in den Straßen Athens umher. Eines Tages fiel sein Blick auf die ausgelegten Bücher eines Händlers. Er nahm ein Buch heraus, blätterte darin und las einige Stellen: »Wo sind die Männer«, rief er plötzlich begeistert aus, »die solches lehren?« – »Die Philosophen – da geht zufällig einer«, antwortete der Buchhändler, auf Krates zeigend, der eben vorbeiging. Der Fremde eilte dem Philosophen nach, machte seine Bekanntschaft und wurde sein Schüler.

Dieser Mann nun, der, arm geworden, seinen Reichtum fortan in der Philosophie fand, war Zeno, der Gründer

der stoischen Schule. Sein Lehrer Krates gehörte zur philosophischen Sekte der Zyniker, deren Haupt, Diogenes,
gelehrt hatte, daß der Mensch lernen müsse, freiwillig zu
entbehren und durch die möglichste Verminderung seiner Bedürfnisse sich von allen äußeren Dingen unabhängig zu machen; dadurch werde der Mensch der Gottheit,
die nichts bedürfe, am ähnlichsten. Aber Zeno be-
schränkte sich nicht auf die Lehren des Zynismus, er
erweiterte und veredelte sie. Auch er lehrte die Vereinfa-
chung der Sitten, Entbehrung und Aufopferung, doch
betrachtete er weiter als den Zweck der Philosophie die
Selbstbeherrschung und die Veredlung des Lebens. Er
selbst war das Musterbild stoischer Beharrlichkeit, so
daß die Athener nach seinem Tode auf sein Denkmal die
Inschrift setzen ließen: »Sein Leben war seiner Lehre
vollkommen gleich.« Die Philosophie ist nach den Stoikern die Wissenschaft von der menschlichen Vervollkommnung, und um diesem Ziele näher zu kommen,
muß der Mensch nach Weisheit streben. Ein Weiser ist
derjenige, der frei von Leidenschaften ist und sich selbst
überwindet. Die wahre Glückseligkeit besteht in einem
harmonischen Leben, zu dem man durch das Streben
nach göttlicher Vollkommenheit gelangt, daher der Satz:
Stimme mit dir selbst überein, folge der Natur, lebe der
Natur gemäß! Die Vorstellung von Gott und der Vorsehung geht aus einem noch vorhandenen Gebet von einem
zweiten Manne der Stoa, Kleanthes, Schüler und Nachfolger des Zeno, klar hervor. Gott, das höchste Wesen,
angebetet unter tausend Namen, ewig und allmächtig,
der Herr der Natur, regiert alle Dinge. Gott ist die Seele
der Welt, er ist der ewige Meister, der Architekt und
unfehlbare Ordner des Weltenbaues. Er ist unser Vater,
er kann nur das Gute wollen.
In diesen Lehren des Stoizismus wurde der römische
Kaiser Marcus Aurelius Antoninus, bekannter unter dem
Namen Marc Aurel, erzogen. Sein Leben war reich an

Wechselfällen und Schicksalsschlägen aller Art. Im Jahre
121 n. Chr. zu Rom geboren, wurde er nach dem früh-
zeitigen Tode seines Vaters Annius Verus im Hause seines
Großvaters erzogen, wo er das Interesse Hadrians ge-
wann, der ihn zum Nachfolger des Antoninus Pius bestimmte. Schon seit früher Jugend zeigte er eine unbeug-
same Liebe zur Wahrheit und einen beständigen Hang
zum Nachdenken. Seine Lernbegierde wurde durch die
sorgfältige Erziehung seiner Mutter, Domitia Lucilla,
und den Unterricht tüchtiger Lehrer unterstützt. Am
meisten fühlte er sich zu derjenigen Philosophie hingezo-
gen, die immer die Pflegerin wahrer Tugend gewesen
war. Kaum zwölf Jahre alt, nahm er die Kleidung der
Stoiker und ihre strenge Lebensart an. Er schlief auf der
bloßen Erde, und nur die Bitten der besorgten Mutter
bewogen ihn endlich, sein Lager mit Fellen zu bedecken.
Neben seiner geistigen Ausbildung vernachlässigte er die
körperliche nicht. Er liebte das Fechten, Ringen, Wett-
laufen und war in allen Leibesübungen gewandt. Seinen
Lehrern bewies er, namentlich für den guten Einfluß, den
sie auf seinen Charakter ausgeübt, durch sein ganzes Leben eine rührende Treue und Dankbarkeit. Äußere Güter
achtete er gering; er hatte noch eine Schwester, der er
sein ganzes Erbteil überließ. Auch als Antoninus Pius
nach seiner Thronbesteigung im Jahre 138 ihn zum Mitregenten ernannt, ihm auch seine Tochter Faustina zur
Frau gegeben hatte, behielt er immer seine Neigung zur
Weltweisheit und arbeitete fort an seiner geistigen und
sittlichen Vervollkommnung. Zwar widmete er sich mit
ganzem Herzen der Sorge für das öffentliche Wohl; aber
in der freien Zeit, die ihm die Staatsgeschäfte übrig ließen, beschäftigte er sich mit der Philosophie. Es war eine
Reihe schöner Jahre, die Marc Aurel mit Antoninus Pius,
der ebenfalls ein Verehrer der Tugend und Weisheit und
ein Vater seines Volkes war, in beglückendster Harmonie, die sich durch nichts stören ließ, verlebte. Aber als er

nach dem Tode dieses edlen Mannes im Jahre 161 auf den Thron gelangte und den ihm so unähnlichen Lucius Verus zum Mitregenten annahm, brach eine sturmvolle Periode seines Lebens über ihn herein. Plötzlich entzündete sich der Krieg an allen Ecken, nachdem schon Überschwemmungen, Teuerung, Erdbeben, Feuersbrunst und ansteckende Krankheiten das Reich geschädigt hatten. Die Parther überfielen das römische Heer in Armenien, die Katten verheerten in Germanien alles mit Feuer und Schwert, und in Britannien brachen Unruhen aus. Kaum waren diese Völker zur Ruhe gebracht, als eine noch weit größere Gefahr drohte. Die streitbarsten Völker unter den Germanen, die Markomannen und Quaden, griffen zu den Waffen und erfüllten das römische Reich um so mehr mit Furcht und Schrecken, als die Pest, die der ausschweifende Verus mit Gefolge aus dem Morgenlande mitgebracht, das römische Heer dezimiert hatte. Beide Kaiser gingen über die Alpen, verfolgten die Feinde und schlugen sie. Auf diesem Feldzuge starb Verus, vom Schlage getroffen, und nun stand Marc Aurel allein in so gefährlicher Zeit an der Spitze des ungeheuren Römerreiches. Aber nur ein Geist wie der seinige war dieser Aufgabe gewachsen! In allen Lagen des Lebens, ob Schmerz, ob Freude ihn traf, bewahrte er seinen unerschütterlichen Gleichmut und die Ruhe seiner Seele. Er blieb der Philosoph, der Weise auf dem Throne, auch in den Stürmen des Krieges, die bis an sein Lebensende fortdauerten. Die Markomannen und Quaden hatten sich durch die Sarmater, Wenden und andere Völker verstärkt und konnten erst nach erfolgreichem Widerstand besiegt werden. Dabei waren in Spanien und Ägypten Aufstände zu bekämpfen. Einige Jahre später mußte der Kaiser nochmals gegen die Markomannen, Quaden und Sarmater ziehen und hätte jetzt ihre Länder wahrscheinlich dem römischen Reiche als Provinzen einverleibt, als die unerwartete Kunde zu ihm drang, daß sein Feldherr Cassius sich gegen ihn empört und in Syrien sich zum Kaiser aufgeworfen habe. Marc Aurel brach sofort auf, hörte aber bald, daß Cassius von seinen eigenen Leuten ermordet worden war. Nachdem die Unruhen im Orient gestillt waren, weilte er eine Zeitlang in Smyrna und Athen und kehrte, nachdem er acht Jahre lang meistenteils in fremden Ländern zugebracht hatte, nach Rom zurück, vom Volke mit Jubel empfangen. Hier hoffte er nun, in den Armen der Philosophie die letzten Jahre seines Lebens zubringen zu können. Doch nach kaum zweijährigem Frieden wurde das römische Heer von den Szythen und anderen nordischen Völkern bedrängt, und der Kaiser mußte abermals zum Kampfe ausziehen. Als er bald darauf noch zu einem dritten Feldzug an die Donau genötigt wurde, war er zwar auch diesmal wieder siegreich, wurde aber unterwegs von einer Krankheit befallen und starb gegen die Mitte des März 180, nachdem er am Tage vorher seinen Sohn Commodus, der an seinem Bette stand, den versammelten Freunden und Generalen mit den Worten als Nachfolger bestimmt hatte: »Wird Commodus die Regierung mit Beherrschung seiner selbst antreten und werdet ihr nicht unterlassen, ihn an das, was er jetzt selber hört, zu erinnern, so könnt ihr euch einen guten Kaiser zubereiten, und mein Andenken wird durch seine Glückseligkeit befestigt werden.« Die Nachricht vom Tode des Kaisers erfüllte das ganze Reich mit Trauer. Jeder fühlte, daß der weiseste Regent seiner Untertanen, der nur immer das Glück des Volkes wollte, dahingegangen, ein Mann, frei und wahrhaft, fromm, ohne Aberglauben, streng gegen sich selbst und mild gegen die Schwächen anderer, großmütig gegen die Besiegten, taub gegen Verleumdungen aller Art und seinen Willen nur der Billigkeit und der Vernunft unterordnend, ein Freund der Arbeit und ein Muster treuester Pflichterfüllung im Frieden wie im Kriege, ein Mann von unerschütterlicher Rechtschaffenheit, Gottesfurcht und Menschen-

liebe. Die Armen und Leidenden ließ der Kaiser niemals
ohne Hilfe; er rühmte es als eine besondere Wohltat des
Himmels, daß er ihm die Gelegenheit und das Vermögen
gegeben, niemals einen Dürftigen ohne Unterstützung
von sich zu lassen.

Es sind uns noch manche Aussprüche erhalten, die von
der Charaktergröße dieses ausgezeichneten Menschen
ein helleuchtendes Beispiel geben. Als einst die Soldaten
Erhöhung ihres Soldes begehrten, sagte er: »Verlangt ihr
mehr Geld? Laßt es euch von euren Eltern und Verwandt-
ten mit ihrem Schweiße und Blute bezahlen. Ich mag es
ihnen nicht abpressen, weil ich dermaleinst Gott, dem
Richter der Fürsten, dafür Rechenschaft geben muß.«
Als er gegen die mitschuldigen Rebellen des Cassius
milde verfuhr und dies getadelt wurde mit den Worten,
was er wohl meine, daß Cassius an ihm getan haben
würde, wenn er am Leben geblieben wäre, antwortete
der Kaiser: »Ich habe Gott nicht so gedient oder auf
solche Art gelebt, daß ich hätte fürchten dürfen, von
Cassius überwunden zu werden.« Er schrieb ausdrück-
lich an die Ratsversammlung: »Wenn ihr nicht dem ganzen Anhange des Cassius das Leben schenkt, werdet ihr
verursachen, daß ich mir den Tod wünsche.« Man hörte
ihn öfter die Worte des Plato sprechen: »Alsdann werden
die Völker glücklich sein, wenn entweder die Weisen im
Lande Könige oder die Könige weise Leute sind.«

Ein bleibendes Denkmal für alle Zeiten sind seine
»Selbstbetrachtungen«, ein Beweis seines ernsten Strebens nach Selbsterkenntnis und Selbstveredlung. Mitten
unter dem Waffengetümmel und den mannigfachen Re-
gierungssorgen wußte er noch manche stille Stunde zu
finden, sich mit sich selbst zu beschäftigen und von seinen Taten, seinen Gedanken und seinen Vorsätzen sich
Rechenschaft zu geben. In solchen Stunden, die andre
zur Ruhe oder zum Vergnügen verwenden, schrieb er
seine Betrachtungen nieder, und hierin zeigte sich erst

recht die große Seele, die sich selbst kultiviert. Es ist der Verlust einer Lebensbeschreibung, die der Kaiser zum Unterrichte seines Sohnes aufgesetzt hatte, beklagt worden; allein das Werk ist nicht verlorengegangen, vielmehr haben wir es in diesen »Betrachtungen über sich selber« vor uns. Es ist freilich keine Biographie im gewöhnlichen Sinne, nur äußere Verhältnisse berücksichtigend, sondern das innere Leben aufschließend, auf der Grund der Seele dringend; es sind Kommentare seines moralischen Lebens, Memoiren seiner Gedanken. In diesen Anreden an sich selbst, diesen Grundsätzen und Lebens- und Sittenregeln offenbart er seine geheimsten Gedanken, verschweigt auch Schwächen und Vorwürfe nicht, ermuntert sich aber, fortzuschreiten auf der Bahn der Tugend. Es fehlte ihm die Zeit, etwas Zusammenhängendes zu schreiben; so wurden es Aphorismen, Bemerkungen und Gedanken, wie sie sich gerade darboten. Daß er in griechischer Sprache schrieb, erklärt sich leicht, da Griechisch damals die Umgangssprache der feineren und gelehrten Welt war.

In einigen Stellen seiner Schrift hat man Übereinstimmung mit den Lehren des Christentums gefunden. Der Kirchenvater Augustinus sagt, was in späterer Zeit ein hervorragender Bischof wiederholte, daß das Leben des heidnischen Kaisers Marc Aurel die Nachahmung der Christen verdiene, und dies ist um so bemerkenswerter, als der Kaiser mit der christlichen Lehre gänzlich unbekannt war und sogar aus politischen Rücksichten eine Christenverfolgung geschehen lassen mußte.

Mehrere sonst dunkle Stellen habe ich des besseren Verständnisses halber frei übersetzt. Griechische Textworte anzuführen habe ich unterlassen, weil sie für einen weiteren Leserkreis unverständlich sind.

Albert Wittstock

Erstes Buch

1.

Mein Großvater Verus[1] gab mir das Beispiel der Milde und Gelassenheit.

2.

Meinem Vater[2] rühmte man nach, er habe einen echt männlichen und dabei bescheidenen Charakter besessen, worin ich ihm nachahmte.

3.

Meine Mutter[3] war mir durch ihre Frömmigkeit und Wohltätigkeit ein Vorbild; ich bestrebte mich, ihr gleichzukommen und das Böse weder zu tun noch auch nur zu denken und wie sie einfach und mäßig zu leben, weit entfernt von dem gewöhnlichen Luxus der Großen.

4.

Meinem Urgroßvater[4], nach dessen Willen ich die öffentlichen Schulen nicht besuchen sollte, verdanke ich es, daß ich zu Hause den Unterricht tüchtiger Lehrer genoß, und ich erkannte, daß man hierin nicht genug tun könne.

5.

Von meinem Erzieher lernte ich, in den Zirkusspielen weder für die Grünen noch für die Blauen, in den Gladiatorengefechten weder für die Rundschilde noch für die

---

1 Der Kaiser gedenkt zuerst seines Großvaters, weil er in dessen Hause erzogen worden war. Annius Verus, ein römischer Senator, war dreimal Konsul gewesen.
2 Seinen Vater, der ebenfalls Annius Verus hieß und Prätor gewesen war, hatte er früh verloren, er konnte sich seiner nur noch schwach erinnern; deshalb spricht er von dem, was er über ihn gehört hat.
3 Domitia Calvilla oder Lucilla war eine Tochter des Senators Calvisius Tullus.
4 Catillius Severus.

Langschilde[5] Partei zu nehmen, wohl aber Anstrengungen zu ertragen, mit wenigem zufrieden zu sein, selbst die Hand ans Werk zu legen, mich nicht in die Angelegenheiten anderer zu mischen und unzugänglich für Angeberei[6] zu sein.

6.

Diognetus[7] flößte mir Haß gegen alle nichtigen Befürchtungen ein und Ungläubigkeit gegenüber den Gauklern, Beschwörern, Wahrsagern und dergleichen, hielt mich von der Wachtelpflege[8] und ähnlichem Aberglauben zurück und lehrte mich das freie Wort dulden und mich ganz der Philosophie ergeben. Er ließ mich erst den Bacchius, dann den Tandasis und Marcianus[9] hören, unterwies mich, als Knabe Dialoge zu schreiben, und bewirkte es, daß ich kein anderes Nachtlager als ein Bretterbett und eine Tierhaut begehrte und was sonst zur Lebensart der griechischen Philosophen[10] gehört.

7.

Rusticus[11] machte mir begreiflich, daß ich immer an der Bildung und Besserung meines Charakters zu arbeiten

5 Das Parteinehmen und Wetten bei den Zirkus- und Fechterspielen unterließen sogar die Kaiser nicht. Marc Aurel sagt, zu solchen Torheiten sei er von seinem Erzieher nicht angehalten worden, vielmehr zu weit wichtigeren Dingen.
6 Das Delatoren-Unwesen hatte unter verschiedenen Kaisern bedenkliche Dimensionen angenommen. Es gab Leute, die aus der Angeberei ein förmliches Gewerbe machten. Marc Aurel sah mit Verachtung auf dieses Treiben hinab.
7 Bei Diognetus, seinem Hauslehrer, hatte er auch Unterricht im Malen. Nachdem Marc Aurel in 1-4 von seinen Eltern gesprochen, gedenkt er in 5 ff. seiner sämtlichen Erzieher und Lehrer.
8 Die Wachteln wurden gepflegt und abgerichtet, um dann zu einem Spiel, Wachtelkampf, benutzt zu werden.
9 Von diesem wurde er in der Rechtsgelehrsamkeit unterwiesen.
10 D. h. der Stoiker. Sie forderten die Abhärtung des Körpers, um nicht durch Verweichlichung zu sinnlichen Vergehungen gereizt zu werden.
11 Ein bedeutender Stoiker.

hätte, die falschen Wege der Sophisten vermeiden müßte, keine leeren Theorien aufstellen, keine Reden des Beifalls wegen halten, noch den Mann von großer Wirksamkeit und Mildtätigkeit vor den Augen der Menge spielen sollte. Durch ihn blieb mir jedes rednerische und dichterische Wortgepränge, jede Schönrednerei fremd, sowie jede Eitelkeit in der Kleidung oder sonstiger Luxus. Er riet mir auch, meine Briefe immer ganz einfach zu schreiben, wie er einen solchen von Sinuessa aus an meine Mutter schrieb; mich leicht versöhnlich zu zeigen, jeden Augenblick zum Verzeihen bereit zu sein,[12] sobald diejenigen, die mich beleidigt haben, durch ihre Worte oder ihr Benehmen mir ihr Entgegenkommen zeigen; auf meine Lektüre eine gewisse Sorgfalt zu wenden; mich nicht mit oberflächlichem Wissen zu begnügen, nie den Großsprechern vorschnell meine Zustimmung zu geben. Endlich verdanke ich ihm die Erklärungen des Epiktet[13], die er mir aus seiner Büchersammlung mitteilte.

8.

Von Apollonius[14] lernte ich die freie Denkart, zwar mit Bedachtsamkeit, doch ohne Wankelmut auf nichts Rücksicht zu nehmen als auf die gesunde Vernunft und stete Seelenruhe zu bewahren unter den heftigsten Schmerzen,

12 Erinnert an die christliche Lehre: »Sei willfährig deinem Widersacher« usw. Vgl. Matth. 5,25, Luk. 17,34. Daß Marc Aurel wirklich so handelte, zeigt sein Verhalten gegen Cassius, der sich gegen ihn empört hatte.
13 Ein berühmter Stoiker, um 50 n. Chr. geboren. Als Sklave zu Rom ertrug er die Mißhandlungen seines Herrn mit echt stoischer Ruhe. Als ihm letzterer einst einen heftigen Schlag auf den Schenkel gab, sagte Epiktet: »Du wirst mir das Bein zerschmettern.« Sogleich verdoppelte jener den Schlag und zerschlug ihm das Bein. Epiktet fuhr ruhig fort: »Hab ich es dir nicht vorausgesagt?« Später wurde er freigelassen und lebte als Philosoph ganz seiner ernsten sittlichen Weltansicht. Epiktet hatte nichts geschrieben; seine Aussprüche wurden von seinem Schüler Arrianus gesammelt.
14 Ein berühmter Stoiker aus Chalcis, den Antoninus Pius, selbst ein Weisheitsfreund, zum Lehrer Marc Aurels berief. Als Apollonius in Rom

beim Verlust eines Kindes und in langwierigen Krankheiten. Er war mir ein lebendiges Beispiel, wie man zugleich ernsthaft und doch leutselig sein könne. Er zeigte sich beim Unterrichte nie mürrisch oder ungeduldig und war dabei auf seine Lehrgeschicklichkeit nicht im geringsten eingebildet. Von ihm endlich lernte ich, wie man Wohltaten von Freunden anzunehmen hat, ohne sich weder zu demütigen noch auch unerkenntlich dafür zu sein.

9.

Sextus[15] war mir das Muster des Wohlwollens, das Beispiel eines echten Familienvaters; an ihm lernte ich, was es heißt, nach der Natur leben.[16] Seine Würde hatte nichts Gezwungenes, er wußte zuvorkommend die Wünsche seiner Freunde zu erraten und ertrug geduldig die Unwissenden und diejenigen, die ohne Überlegung urteilen. Er schickte sich in alle Menschen, und so fand man seinen Umgang angenehmer als alle Schmeicheleien, und dabei empfand man gleichzeitig eine tiefe Hochachtung für ihn. Er verstand es, die zur Lebensweisheit erforderlichen Vorschriften klar und regelrecht zu entwickeln und zu verknüpfen. Man bemerkte niemals das geringste Zeichen des Zornes oder irgendeiner andern Leidenschaft an ihm, aber bei aller Leidenschaftslosigkeit war er der liebreichste Mensch. Er hielt auf den guten Ruf, jedoch ohne Aufsehen, er war ein Gelehrter ohne Kleinigkeitskrämerei.

---

angelangt war, ließ ihm der Kaiser sagen, er möge in den Palast kommen, sein Schüler solle ihm sofort übergeben werden. Der Stoiker ließ antworten: »Es komme dem Schüler zu, sich zum Lehrer zu verfügen, und nicht dem Lehrer, sich zum Schüler zu bemühen.« Der Kaiser versetzte auf diese Antwort mit Lachen: »Ich sehe wohl, es kostet dem Apollonius mehr Mühe, von seiner Wohnung zu Hofe zu kommen, als von Athen nach Rom zu reisen«, und schickte sofort den Marcus Aurelius zu ihm.
15 Ein Philosoph aus Chäronea; er war ein Enkel Plutarchs.
16 Was unter diesem Hauptgrundsatz des Stoizismus zu verstehen ist, geht aus Marc Aurels Selbstbetrachtungen am besten hervor.

10.

Von Alexander[17], dem Grammatiker, sah ich, daß er gegen jedermann nur mit Schonung verfuhr; er machte niemals eine beleidigende Bemerkung wegen eines fremdartigen oder sprachwidrigen Ausdrucks oder wenn sonst jemand fehlerhaft sprach; an dessen Stelle nannte er einfach den richtigen Ausdruck, doch nicht so, daß es eine absichtliche Korrektur schien, sondern als wäre es eine Antwort oder Bestätigung oder um zu untersuchen, nicht etwa das Wort, sondern die fragliche Sache, oder er gebrauchte einen andern derartigen Ausweg, den der Unterricht mit sich brachte.

11.

Durch Fronto[18] wurde ich belehrt, daß mit der Willkürherrschaft Neid, Ränkesucht und Verstellungskunst verknüpft sind und wie wenig Menschenliebe diejenigen im Herzen tragen, die wir Patrizier nennen.

12.

Von Alexander, dem Platoniker, habe ich gelernt, niemals ohne Not zu sagen oder zu schreiben: Ich habe keine Zeit, und nie ein solches Mittel zu gebrauchen, um unter Vorwand dringender Geschäfte die Pflichten, die uns die Freundschaft auferlegt, zurückzuweisen.

13.

Catulus[19] lehrte mich, gegen die Klagen eines Freundes, selbst wenn sie unbegründet wären, nicht gleichgültig zu sein, vielmehr sein volles Vertrauen zu gewinnen, sich

17 Ein Gelehrter aus Phrygien: Man sieht aus diesem Abschnitt, daß die Grammatiker nicht bloß in der Sprache Unterricht erteilten, sondern auch in der Rednerkunst.
18 Ein berühmter römischer Redner; er wurde von seinem kaiserlichen Schüler später zu hohen Staatsämtern emporgehoben.
19 Ein Stoiker.

immer seiner Lehrer zu rühmen, wie Domitius und
Athenodotus getan, und seinen Kindern die reinste Liebe
zu erweisen.

14.

Severus[20] war mir ein Beispiel in der Liebe zu unseren
Verwandten wie auch in der Wahrheits- und Gerechtigkeitsliebe. Durch ihn wurde ich auf Thraseas, Helvidius,
Cato, Dion und Brutus[21] hingewiesen, durch ihn bekam
ich einen Begriff, was zu einem freien Staate gehört, wo
vollkommene Rechtsgleichheit für alle ohne Unterschied
herrscht und nichts höher geachtet wird als die Freiheit
der Bürger. Von ihm lernte ich, immer dieselbe sich nie
verleugnende Hochachtung für die Philosophie zu bewahren, wohltätig und freigebig zu sein, von meinen
Freunden das Beste zu hoffen und auf ihre Liebe zu vertrauen; wenn sie Veranlassung zur Unzufriedenheit gegeben, dies nicht zu verhehlen, so daß sie nicht zu erraten
haben, was man will oder nicht will, sondern es ihnen
offen vor Augen zu führen.

15.

Beherrsche dich selbst! sagte Maximus[22], sei fest in den
Krankheiten und allen Verdrießlichkeiten, behalte immer
die gleiche mit Milde und Würde gepaarte Laune und
verrichte die dir obliegenden Geschäfte ohne Widerstre-
ben. Von ihm war jeder überzeugt, daß er so sprach, wie
er es meinte, und daß seinen Handlungen ein guter
Zweck zugrunde lag. Er zeigte über nichts Verwunde-
rung oder Erstaunen, auch nirgends Übereilung oder

20 Ein Verwandter Marc Aurels.
21 Thraseas Pätus wurde von Kaiser Nero gezwungen, sich selbst zu
durchbohren, und sein Schwiegersohn Helvidius wurde verbannt. Cato,
Dion und Brutus sind aus Plutarchs Biographien bekannt. Alle zeichne-
ten sich durch stoischen Sinn aus.
22 Claudius Maximus, ein Stoiker.

Saumseligkeit, war nie verlegen, trostlos oder nur schein-
fröhlich, nie war er zornig oder übler Laune. Wohltätig,
großmütig und wahrheitsliebend, bot er eher das Bild
eines Mannes, der von Natur recht war und keiner Besserung bedurfte. Es konnte sich niemand von ihm verachtet
glauben, aber auch ebensowenig sich besser dünken. Im
Ernst und Scherz war er voll Anmut und Geist.

16.

An meinem Vater[23] bemerkte ich Sanftmut, verbunden
mit einer strengen Unbeugsamkeit in seinen nach reiflicher Erwägung gewonnenen Urteilen. Er verachtete den
eitlen Ruhm, den beanspruchte Ehrenbezeigungen verleihen, liebte die Arbeit und die Ausdauer, hörte bereit-
willigst gemeinnützige Vorschläge anderer, behandelte
stets jeden nach Verdienst, hatte das richtige Gefühl, wo
Strenge oder Nachgiebigkeit angebracht ist, verzichtete
auf unnatürliche Liebe und lebte nur dem Staatswohl. Er
verlangte nicht, daß seine Freunde immer mit ihm spei-
sten, auch konnte er ihrer auf Reisen entbehren;[24] diejenigen, die ihm aus dringender Ursache nicht folgen
konnten, fanden ihn bei seiner Rückkehr unverändert. In
den Beratungen versäumte er nichts, um gründlich zu
untersuchen; er verwendete hierauf alle denkbare Geduld
und begnügte sich nicht mit der Wahrscheinlichkeit.
Seine Freunde wußte er sich zu erhalten; er wurde ihrer
nie überdrüssig, aber seine Liebe zu ihnen war auch nicht
übertrieben. Er war überall zufrieden, auf seinem Antlitz
lag immer dieselbe Heiterkeit; er sorgte für die Zukunft
und nahm, ohne viel Aufhebens zu machen, selbst auf die
unbedeutendste Angelegenheit Bedacht. Das Zujauchzen

23 Marc Aurel spricht hier von Antonin dem Frommen, seinem Adop-
tiv- und Schwiegervater.
24 Es kam öfter vor, daß Leute aus seinem Gefolge lieber zu Hause zu
bleiben wünschten, was der Kaiser gestattete, ohne im geringsten darüber
ungehalten zu sein.

des Volkes, überhaupt Schmeicheleien jeder Art, wies er
zurück. Auf die Staatsbedürfnisse war er unaufhörlich
wachsam und sparsam beim Ausgeben öffentlicher Gel-
der und war nicht ungehalten, daß man ihn deswegen
manchmal tadelte. Vor den Göttern hatte er keine aber-
gläubische Furcht, und hinsichtlich der Menschen er-
strebte er nicht Beliebtheit durch Gefallsucht oder ir-
gendwelche Künste der Volksverführung, vielmehr war
er in allen Dingen behutsam und fest, verstieß nie gegen
die Schicklichkeit und zeigte keine Neuerungssucht. Die
Güter, die das Leben angenehm machen und die die Natur uns so reichlich bietet, brauchte er mit Freiheit ohne
Übermut, indem er das, was er hatte, wohl anwendete
und das, was er nicht hatte, auch nicht begehrte. Niemand konnte sagen, er sei ein Sophist, ein Einfältiger, ein
Pedant, sondern jeder erkannte in ihm einen reifen und
vollkommenen Mann, erhaben über Schmeicheleien, fä-
hig, sowohl seine eigenen Angelegenheiten als die der
andern zu besorgen. Dazu ehrte er die wahren Philosophen und zeigte sich nichtsdestoweniger nachsichtig gegen diejenigen, die es nur zum Scheine waren. Im Umgang war er höchst angenehm, er scherzte gern, jedoch
ohne Übertreibung. Seinen Körper pflegte er nicht wie
jemand, der das Leben liebt oder der sich schön machen
möchte; er vernachlässigte aber nichts, so daß er dank
dieser Sorgfalt selten nötig hatte, seine Zuflucht zur Arz-
neikunst mit ihren inneren und äußeren Heilmitteln zu
nehmen. Er war groß darin, Männern, die in irgendeiner
Fähigkeit, in der Beredsamkeit, Geschichte, Gesetz-
kunde, Sittenlehre oder sonstwie hervorragten, den Vorrang zu lassen, ihnen sogar zur Erlangung des Ruhmes,
der jedem gebührte, behilflich zu sein. Indem er sich in
seinem Verhalten immer nach den Beispielen der Vorfahren richtete, prahlte er doch nicht mit der Treue zu den
alten Überlieferungen. Er war kein unbeständiger, unru-
higer Geist, er gewöhnte sich an die Orte und an die

Gegenstände. Er litt oft an Kopfschmerzen, aber kaum waren sie vorüber, so ging er mit der Munterkeit eines Jünglings wieder an seine gewohnten Arbeiten. Er hatte nur sehr wenige Geheimnisse, und diese betrafen einzig und allein die Staatsinteressen. Er bewies Klugheit und Maßhalten bei der Veranstaltung der öffentlichen Schauspiele, bei der Errichtung von Gebäuden und Beschenkungen des Volks und handelte immer wie ein Mann, der nur darauf sieht, was die Pflicht ihm zu tun gebietet, und nicht darauf, was er für Ehre davon haben wird. Er badete nie zur Unzeit, hatte keine übertriebene Baulust, achtete nicht auf Leckerbissen, nicht auf Gewebe und Farbe der Kleider, nicht auf Schönheit seiner Sklaven. In Lorium[25] trug er einen sehr einfachen Anzug, der zu Lanuvium hergestellt war. Wegen des Oberrocks, den er in Tusculum trug, bat er die Gäste um Entschuldigung, und so im übrigen. In ihm war nichts Hartes, nichts Unehrerbietiges, keine Heftigkeit und nichts, wie man sagt, bis aufs Blut, sondern alles war wohl und gleichsam bei guter Muße überlegt, unerschütterlich geordnet, fest und mit sich selbst übereinstimmend. Auf ihn ließ sich trefflich anwenden, was man von Sokrates berichtet, daß er entbehren und genießen konnte, wo viele zum Entbehren zu schwach und im Genusse zu unmäßig gewesen sein würden. Dort aber mutig zu ertragen, hier nüchtern zu bleiben, ist das Kennzeichen eines Mannes von einer starken und unbesiegbaren Seele, und so zeigte er sich während der Krankheit des Maximus.[26]

---

25 Lorium war ein Landhaus, wo Antonin erzogen war, sich oft aufhielt und auch 161 starb. Lanuvium und Tusculum waren kleine Orte in der Nähe Roms. Er liebte nicht ausländische, kostbare Gewänder, sondern trug Kleider, die in seinem eigenen Hause gewebt waren.
26 Vgl. Abschnitt 15.

17.

Ich danke den Göttern, daß ich rechtschaffene Großeltern, rechtschaffene Eltern, eine rechtschaffene Schwester[27], rechtschaffene Lehrer, rechtschaffene Hausgenossen, Verwandte, Freunde, ja fast durchweg rechtschaffene Menschen um mich gehabt habe, daß ich gegen keinen von ihnen mich aus Übereilung vergangen, wozu ich sogar meiner Anlage nach leicht geneigt gewesen wäre. Doch die Huld der Götter hat es nicht zugelassen, daß eine Gelegenheit, in solchen Fehler zu verfallen, sich darbot. Außerdem verdanke ich es den Göttern, daß ich nicht zu lange meine Erziehung bei der Geliebten meines Großvaters erhielt, daß ich meine Jugendunschuld bewahrte, die Manneskraft nicht vor der Zeit verschwendete, sondern bis in ein reiferes Alter keusch blieb; daß ich unter einem Fürsten und Vater stand, der jeden Keim des Hochmuts in mir unterdrückte und mich überzeugte, daß man selbst am Hofe ohne Leibgarde, ohne Prachtkleider, ohne Fackeln und Ehrensäulen und sonstigen Aufwand leben und sich fast wie ein einfacher Privatmann einschränken kann, ohne darum in seinen Verrichtungen als Staatsoberhaupt weniger Würde und Kraft zu beweisen. Den Göttern verdanke ich auch, daß mir ein Bruder[28] beschieden ward, der mich durch sein Betragen ermunterte, über mich selbst zu wachen, und der durch seine Achtung und Liebe mein Herz erfreute; daß mir Kinder[29] geboren wurden, deren Geist nicht stumpf und deren Körper nicht verkrüppelt war. Weiter danke ich den Göttern, daß ich nicht zu große Fortschritte in der

27 Sie hieß Annia Cornificia. Marc Aurel überließ ihr das ganze väterliche und mütterliche Erbe.
28 Wenn er seinen Adoptivbruder L. Verus meint, so ist das Urteil allzu günstig.
29 Außer einigen Töchtern hatte er drei Söhne: Verus, Commodus und Antonin, von denen der erste und letzte frühzeitig starben. Commodus, der ihm in der Regierung folgte, wurde später durch schlechte Gesellschaft seinem Vater sehr unähnlich.

Rede- und Dichtkunst[30] gemacht habe, noch auch in andern solchen Wissenschaften, die mich sonst leicht gänzlich gefesselt haben könnten; daß ich mich beeilt habe, diejenigen, die für meine Erziehung gesorgt haben, zu solchen Ehrenstellen, die mir das Ziel ihrer Wünsche schienen, emporzuheben, und daß ich sie nicht mit der Hoffnung abspeiste, daß ich später an sie denken würde; daß ich den Apollonius, den Rusticus und Maximus[31] kennenlernte; daß ich mich mit der Art und Weise eines naturgemäßen Lebens lebhaft und oft in Gedanken beschäftigte; daß mir durch die Gaben, Hilfeleistungen und Eingebungen der Götter nichts gefehlt hat, der Natur gemäß zu leben, und wenn ich noch vom Ziel entfernt bin, so ist es meine Schuld, daß ich die göttlichen Mahnungen, fast möchte ich sagen Offenbarungen, schlecht befolgt habe. Der göttlichen Güte schreibe ich es auch zu, daß mein schwächlicher Körper so viele Beschwerden des Lebens hat ertragen können, daß ich keine Gemeinschaft mit der Benedikta oder dem Theodotus gehabt, sondern unreine Leidenschaften überwunden habe; daß ich bei dem öfteren Unwillen gegen den Rusticus nie eine Handlung gegen ihn begangen, die mich jetzt gereuen könnte; daß meine Mutter, wiewohl sie jung sterben mußte, dennoch ihre letzten Jahre bei mir zubringen konnte, daß, so oft ich einem Dürftigen oder sonst Leidenden helfen wollte, ich nie zu sagen brauchte, ich hätte nicht die Mittel dazu, daß ich auch selbst nie in die Notwendigkeit geriet, etwas von anderen annehmen zu müssen; daß ich eine Gattin von gefälligem, hingebendem und einfachem Charakter erhielt; daß ich für meine Kinder geschickte Erzieher gefunden habe; daß mir in Träumen verschiedene Arzneimittel, besonders gegen Blutspeien und Schwindel, angegeben wurden, namentlich zu

---

30 Die Stoiker hielten diese Künste nicht dem Ernste und der strengen Wahrheitsliebe entsprechend.
31 Vgl. Nr. 7, 8, 15.

Cajuta wie durch ein Orakel;[32] daß ich bei meiner Neigung zur Weltweisheit nicht in die Hände der Sophisten
geriet, daß ich meine Zeit nicht durch Lesen ihrer Schriften, Verwicklung in Trugschlüsse oder Untersuchungen
über die Geheimnisse des Himmels vergeudete. Ja, dies
alles war nur durch den Beistand der Götter und ein
günstiges Geschick möglich.
Geschrieben[33] bei den Quaden[34] am Granua.[35]

Zweites Buch

1.

Sage zu dir in der Morgenstunde: Heute werde ich mit
einem unbedachtsamen, undankbaren, unverschämten,
betrügerischen, neidischen, ungeselligen Menschen zu-
sammentreffen. Alle diese Fehler sind Folgen ihrer Unwissenheit hinsichtlich des Guten und des Bösen.[36] Ich
aber habe klar erkannt, daß das Gute seinem Wesen nach
schön und das Böse häßlich ist,[37] daß der Mensch, der
gegen mich fehlt, in Wirklichkeit mir verwandt ist, nicht
weil wir von demselben Blut, derselben Abkunft wären,
sondern wir haben gleichen Anteil an der Vernunft, der
göttlichen Bestimmung. Keiner kann mir Schaden zufü-

32 Im griechisch-römischen Altertum wurde bekanntlich sehr viel auf
Träume gehalten.
33 Also im Feldlager geschrieben. Vielleicht glaubte Marc Aurel, daß er
aus dem Markomannenkriege nicht wieder heimkehren werde, und
wollte daher noch dieses Vermächtnis für seinen Sohn niederschreiben.
34 Die Quaden, ein germanischer Volksstamm im heutigen Mähren,
wohnten östlich von den Markomannen.
35 Jetzt Gran.
36 Es war ein stoischer Grundsatz, dessen Ursprung auf Zeno zurückge-
führt wurde, daß die meisten Menschen nur aus Dummheit böse sind.
37 Diesen Satz hatte Zeno aufgestellt, aber dieselbe Lehre findet sich
schon bei Plato.

gen, denn ich lasse mich nicht zu einem Laster verführen. Ebensowenig kann ich dem, der mir verwandt ist, zürnen oder ihn hassen; denn wir sind zur gemeinschaftlichen Wirksamkeit geschaffen, wie die Füße, die Hände, die Augenlider, wie die obere und untere Kinnlade.[38] Darum ist die Feindschaft der Menschen untereinander wider die Natur; Unwillen aber und Abscheu in sich fühlen, ist eine Feindseligkeit.

2.

Was ich auch immer sein mag, es ist doch nur ein wenig Fleisch, ein schwacher Lebenshauch und die leitende Vernunft. Laß die Bücher,[39] die Zerstreuung, es fehlt dir die Zeit. Betrachte dich als einen, der im Begriff ist zu sterben, verachte dieses Fleisch: Blut, Knochen, ein zerbrechliches Gewebe, aus Nerven, Puls- und Blutadern zusammengeflochten. Betrachte diesen Lebenshauch selbst; was ist er? Nur Wind, und nicht einmal immer derselbe, sondern jeden Augenblick ausgeatmet und wieder eingeatmet. Das Dritte ist die gebietende Vernunft. Auf folgendes mußt du bedacht sein: Du bist alt; gib nicht mehr zu, daß sie eine Sklavin sei, daß sie durch einen wilden Trieb dahingerissen werde oder gegen das jetzige Geschick murre oder durch das künftige erschüttert werde.

3.

Alles ist voll von Spuren göttlicher Vorsehung. Auch die zufälligen Ereignisse sind nichts Unnatürliches, sind abhängig von dem Zusammenwirken und der Verkettung der von der Vorsehung gelenkten Ursachen. Alles geht von der Vorsehung aus. Hiermit verknüpft sich sowohl die Notwendigkeit als auch das, was zur Harmonie des

38 Derartige Vergleiche waren bei den Alten nichts Seltenes.
39 Antonin war durch seine Regentenpflichten so sehr beschäftigt, daß er seine Neigung zum Lesen unterdrücken mußte. (Bücher konnten damals nur die Reichen kaufen, die philosophischen Schriften wurden oft mit mehreren Talenten, d. h. mehreren Tausend Talern bezahlt.)

Weltganzen nützlich ist, wovon du ein Teil bist. Was mit
dem großen Ganzen übereinstimmt und was zur Erhaltung des Weltplanes dient, das ist für jeden Teil der Natur
gut. Die Harmonie der Welt wird erhalten sowohl durch
die Veränderungen der Grundstoffe als auch der daraus
bestehenden Körper. Das genüge dir, das möge dir stets
zur Lehre dienen. Den Bücherdurst[40] vertreibe, damit du
nicht murrend sterbest, sondern mit wahrem Seelenfrie-
den und dankbarem Herzen gegen die Götter.

4.

Erinnere dich, seit wie lange du die Ausführung ver-
schiebst und wie oft dir die Götter günstige Gelegenheit
gegeben haben, die du unbenutzt gelassen. Du solltest es
doch einmal empfinden, von welcher Welt du ein Teil bist
und von welchem Herrn der Welt dein Dasein seinen
Ursprung hat, daß die Zeit für dich schon abgegrenzt ist;
und wenn du sie nicht auf die Seelenheiterkeit verwen-
dest, so schwindet sie dahin, und du schwindest selbst
dahin, und sie kehrt nie zurück.

5.

Denke zu jeder Tageszeit daran, in deinen Handlungen
einen festen Charakter zu zeigen, wie er einem Römer
und einem Mann geziemt, einen ungekünstelten, sich nie
verleugnenden Ernst, ein Herz voll Freiheits- und Gerechtigkeitsliebe. Verscheuche jeden anderen Gedanken,
und das wirst du können, wenn du jede deiner Handlungen als die letzte deines Lebens betrachtest, frei von
Überstürzung, ohne irgendeine Leidenschaft, die der
Vernunft ihre Herrschaft entzieht, ohne Heuchelei, ohne
Eigenliebe und mit Ergebung in den Willen des Schicksals. Du siehst, wie wenig zu beobachten ist, um ein

40 Mehrere Stoiker waren gegen das viele Bücherlesen. Seneca sagt, daß
sich selbst zu studieren den Vorzug verdiene vor dem Studium vieler
Bücher.

friedliches, von den Göttern beglücktes Leben zu führen.
Die Befolgung dieser Lehre ist ja alles, was die Götter
von uns verlangen.

6.

Schäme dich, ja schäme dich, Seele! Dich zu ehren, wirst
du keine Zeit mehr haben. Unser Leben ist flüchtig, das
deinige ist fast schon am Ziele, und du hast keine Achtung vor dir, denn du suchst deine Glückseligkeit in den
Herzen anderer.[41]

7.

Warum dich durch die Außendinge zerstreuen? Nimm
dir Zeit, etwas Gutes zu lernen, und höre auf, dich wie
im Wirbelwind umhertreiben zu lassen. Hüte dich noch
vor einer anderen Verirrung, denn es ist auch Torheit,
sich das Leben durch zwecklose Handlungen schwer zu
machen;[42] man muß ein Ziel haben, auf das sich alle unsere Wünsche, alle unsere Gedanken richten.

8.

Es ist noch nie jemand unglücklich geworden, weil er
sich nicht um das, was in der Seele eines andern vorgeht,
gekümmert hat; aber diejenigen, die nicht mit Aufmerksamkeit den Bewegungen ihrer eigenen Seele folgen, geraten notwendig ins Unglück.[43]

9.

Halte dir immer gegenwärtig, welches die Natur des
Weltalls und welches die deinige ist, welche Beziehungen
diese zu jener hat und welch einen Teil von welchem

---

41 Nach den Lehren der Stoiker soll der Mensch nach einem naturgemäßen Leben trachten und das Urteil anderer verachten.
42 Marc Aurel sagt, daß die Seele des Menschen sich mit Schmach bedeckt (2,16), wenn sie bei ihrer Handlung kein Ziel verfolgt, sondern ihr Tun dem Zufall überläßt.
43 Wer sich immer nur um andere kümmert und nicht um sich, lernt nie sich selbst erkennen.

Ganzen du ausmachst, und dann, daß niemand es dir verwehren kann, dasjenige zu tun oder zu sagen, was mit der Natur, von der du selbst ein Teil bist, übereinstimmt.

10.

Theophrast[44] sagt bei der Vergleichung der Vergehungen, insofern man nach den gewöhnlichen Begriffen eine solche anstellen mag,[45] mit Recht, daß die Übertretungen aus Begierden schwerer seien als die aus Zorn. In der Tat entfernt sich der Zornige mit einer gewissen Mißstimmung, mit einem heimlichen Verdruß von der Vernunft; aber derjenige, der aus Begierde sündigt, von der Wollust überwältigt, zeigt sozusagen in seinen Fehlern mehr Unmäßigkeit, mehr unmännliche Schwäche. Es ist daher ein richtiges Wort, würdig der Philosophie, daß aus böser Lust sündigen strafbarer sei als aus Mißstimmung. Gewiß, der Zürnende stellt sich mehr als ein Mensch dar, dem vorher Unrecht geschah und der durch Schmerz zum Zorn fortgerissen wird; der andere hingegen neigt sich aus freien Stücken zur Ungerechtigkeit, fortgerissen zur Befriedigung seiner Begierden.

11.

All dein Tun und Denken sei so beschaffen, als solltest du möglicherweise im Augenblick aus diesem Leben scheiden. Aus der Mitte der Menschen zu scheiden, hat nichts Schreckliches, wenn es Götter gibt, denn sie werden dich nicht dem Unglück preisgeben; gibt es hingegen keine Götter oder kümmern sie sich nicht um die menschlichen Angelegenheiten, was liegt dann daran, in einer Welt ohne Götter und ohne Vorsehung zu leben? Doch es gibt Götter, und sie sorgen für die Menschen. Sie haben dem

44 Theophrast war Schüler und Nachfolger des Aristoteles. Von seinen Schriften sind nur die Charakterschilderungen und ein botanisches Werk erhalten.
45 Nach der stoischen Lehre waren alle Sünden gleich, weil jede Sünde vernunftwidrig ist.

Menschen die Macht gegeben, nicht in die wirklichen
Übel zu verfallen. Es gibt kein denkbares Übel, bei dem
die Götter nicht vorgesorgt hätten, daß der Mensch die
Macht habe, sich davor zu hüten. Wie aber sollte das, was
den Menschen selbst nicht unglücklicher macht, des
Menschen Leben unglücklicher machen können? Die
Allnatur hätte weder unwissentlich noch wissentlich, indem sie nämlich unfähig gewesen wäre, so etwas zu ver-
hüten oder wieder gutzumachen, einer solchen Nachläs-
sigkeit sich schuldig gemacht, und ebensowenig aus Unvermögen oder Ungeschicklichkeit ein so großes Versehen begangen, guten und bösen Menschen Güter und
Übel in gleichem Maße ohne Unterschied zukommen zu
lassen. Tod und Leben, Ehre und Unehre, Schmerz und
Vergnügen, Reichtum und Armut, alle diese Dinge mögen den Bösen wie den Guten ohne Unterschied zuteil
werden, denn sie sind an sich weder ehrbar noch schädlich, sind also in Wahrheit weder ein Gut noch ein Übel.

12.

Wie schnell doch alles verschwindet! In der Welt die
Menschen selbst, in der Zeit ihr Andenken! Was ist alles
Sinnliche, besonders das, was uns durch Wollust reizt
oder durch Schmerz erschreckt, endlich das, was uns
durch Scheingröße Rufe der Bewunderung entlockt: wie
unbedeutend und verächtlich, wie niedrig, hinfällig und
tot! Dies zu erwägen, geziemt dem denkenden Menschen. Wer sind selbst diejenigen, deren Meinungen und
Reden Ruhm verleihen? Was ist der Tod? Wenn man ihn
für sich allein betrachtet und in Gedanken das davon
absondert, was in der Einbildung damit verbunden ist, so
wird man darin nichts anderes erblicken als eine Wirkung
der Natur. Wer sich aber vor einer Naturwirkung fürchtet, ist ein Kind. Noch mehr, der Tod ist nicht bloß eine
Wirkung der Natur, sondern eine für die Natur heilsame
Wirkung. Betrachte endlich, wie und durch welchen Teil

seines Wesens der Mensch mit Gott in Berührung steht und in welchem Zustand er sich dann befindet, wenn dieses Körperteilchen zerstäubt ist.

13.

Nichts ist jämmerlicher als ein Mensch, der alles ergründen will, der die Tiefen der Erde, wie jener Dichter sagt,[46] durchforscht und, was in der Seele seines Nebenmenschen vorgeht, zu erraten sucht, ohne zu bedenken, daß er sich genügen lassen sollte, mit dem Genius, den er in sich hat, zu verkehren und diesem aufrichtig zu dienen. Dieser Dienst aber besteht darin, ihn vor jeder Leidenschaft, Eitelkeit und Unzufriedenheit mit dem Tun der Götter und Menschen zu bewahren. Denn was von den Göttern kommt, verdient unsere Ehrerbietung wegen der Vortrefflichkeit, und was von den Menschen kommt, unsere Liebe wegen der Verwandtschaft, die zwischen uns besteht, manchmal verdient es eine Art Mitleid wegen ihrer Unkenntnis des Guten und Bösen; sie sind wie Blinde oder so, wie wenn jemand Weiß und Schwarz voneinander nicht zu unterscheiden vermag.

14.

Und wenn du dreitausend Jahre lebtest, selbst dreißigtausend, so erinnere dich dennoch, daß keiner ein anderes Leben verliert als das, was er wirklich lebt, und kein anderes lebt, als das, was er verliert. Das längste Leben kommt also mit dem kürzesten auf eins hinaus. Der gegenwärtige Zeitpunkt ist für alle von gleicher Dauer, welche Ungleichheit es auch in der Dauer des Vergangenen geben mag, und den man verliert, erscheint nur wie ein Augenblick; niemand kann weder die Vergangenheit noch die Zukunft verlieren, denn wie sollte man ihm das rauben können, was er nicht besitzt? Man muß sich also

---

46 Ein Wort Pindars, dessen sich Plato bedient, um den wahren Philosophen zu kennzeichnen.

diese beiden Wahrheiten merken, die eine, daß alles sich
im ewigen, unveränderlichen Kreislauf befindet und daß
es von keiner Wichtigkeit ist, dieselben Dinge hundert
oder zweihundert Jahre oder eine grenzenlose Zeit zu
beobachten;[47] die andere, daß der im höchsten Lebensalter und der sehr jung Sterbende beide das Gleiche verlieren. Sie verlieren nur den gegenwärtigen Zeitpunkt, weil
sie nur diesen allein besitzen und weil man das, was man
nicht besitzt, nicht verlieren kann.

15.

Alles beruht auf der Meinung. Die Schlußfolgerungen
des Zynikers Monimus[48] sind ganz richtig und gewähren
auch Nutzen, wenn man sie auf das, was daran wahr ist,
einschränkt.

16.

Die Seele des Menschen bedeckt sich vornehmlich dann
mit Schmach, wenn sie gleichsam eine Geschwulst, ein
krankhaftes Geschwür in der Welt wird. Denn über
Dinge, die uns begegnen, unzufrieden sein, heißt soviel
wie sich von der allgemeinen Natur, die die Natur aller
besonderen Wesen in sich faßt, lossagen. Ferner entehrt
sie sich durch Abneigung gegen einen Menschen oder
wenn sie aus Feindseligkeit ihm zu schaden trachtet; und
von der Art sind die Gemüter der Zornigen. Sie schändet
sich auch, wenn sie sich von der Lust oder vom Schmerze
besiegen läßt; ferner, wenn sie sich verstellt und in ihren
Handlungen und Reden heuchelt und lügt, endlich, wenn
sie bei ihren Handlungen und Bestrebungen kein Ziel
verfolgt, sondern unbesonnen ihr Tun dem Zufall überläßt, während die Pflicht gebietet, selbst die unbedeu-
tendsten Dinge auf einen Zweck zu beziehen. Zweck ver-

47 Zu Marc Aurels Zeit war es eine ausgemachte Wahrheit, daß es nichts
Neues in der Welt gibt, sondern daß alles wiederkehrt.
48 Ein Schüler des Diogenes und Krates, der alle Erkenntnis für bloße
Meinung erklärte.

nünftiger Wesen aber ist, die vernunftgemäßen Gesetze
des Staates von der allerältesten Verfassung[49] zu befolgen.

17.

Die Dauer des menschlichen Lebens ist ein Augenblick,
das Wesen ein beständiger Strom,[50] die Empfindung eine
dunkle Erscheinung, der Leib eine verwesliche Masse,
die Seele ein Kreisel, das Schicksal ein Rätsel, der Ruf
etwas Unentschiedenes. Kurz, was den Körper betrifft,
ist ein schneller Fluß, was die Seele angeht, Träume und
Dunst, das Leben ist ein Krieg, eine Haltestelle für Rei-
sende, der Nachruhm ist Vergessenheit. Was kann uns da
sicher leiten? Nur eins: die Philosophie. Und ein Philosoph sein heißt: den Genius in uns vor jeder Schmach,
vor jedem Schaden bewahren, die Lust und den Schmerz
besiegen, nichts dem Zufall überlassen, nie zur Lüge und
Verstellung greifen, fremden Tun und Lassens unbedürf-
tig sein, alle Begegnisse und Schicksale als von daher
kommend aufnehmen, von wo wir selbst ausgegangen
sind, endlich den Tod mit Herzensfrieden erwarten und
darin nichts anderes sehen als die Auflösung der Urstoffe, woraus jedes Wesen zusammengesetzt ist. Wenn
aber für die Urstoffe selbst darin nichts Schreckliches
liegt, daß jeder von ihnen beständig in einen andern umgewandelt wird, warum sollte man die Umwandlung und
Auflösung aller Dinge mit betrübtem Auge ansehen? Das
ist ja der Natur gemäß, und was mit der Natur übereinstimmt, ist kein Übel.
Geschrieben zu Carnuntum[51].

49 Das Weltall wird mit einer großen Polis verglichen, die durch ein
einheitliches Gesetz, das für alle Menschen dieselbe Gültigkeit hat, regiert
wird.
50 Nach der Ansicht der alten Philosophen verändert sich in der Körperwelt alles jeden Augenblick. Darum sagt Heraklit (ein griechischer Philosoph um 500 v. Chr.): Man kann nicht zweimal in denselben Strom
steigen.
51 Stadt in Pannonien, wo Marc Aurel im Markomannenkriege sein
Winterquartier hatte.

Drittes Buch

1.

Man muß nicht allein den Gedanken erwägen, daß unser
Leben sich täglich verzehrt und daß mit jedem Tag der
Rest kleiner wird, sondern man muß auch bedenken,
daß, könnte man selbst sein Dasein bis ins höchste Alter
verlängern, es doch ungewiß ist, ob unsere Denkkraft
immer dieselbe geistige Fähigkeit behalten werde für jene
Betrachtung, die die Grundlage für die Wissenschaft der
göttlichen und menschlichen Dinge ist. In der Tat, wenn
man kindisch zu werden anfängt, so behält man zwar das
Vermögen zu atmen, zu verdauen, Vorstellungen und Begierden zu haben und dergleichen Wirkungen mehr; aber
sich seiner selbst zu bedienen, seine jedesmalige Pflicht
pünktlich zu beachten, die Eindrücke genau zu zerglie-
dern, zu prüfen, wann es Zeit ist, aus diesem Leben zu
scheiden,[52] kurz, alles, was einen geübten Verstand erfor-
dert, das ist in uns erloschen. Darum müssen wir eilen,
nicht nur, weil wir uns immer mehr dem Tode nähern,
sondern auch, weil die Fassungskraft und die Begriffe in
uns oft schon vor dem Tode aufhören.

2.

Ferner ist zu beachten, daß es selbst in den Erscheinungen, die sich in den Erzeugnissen der Natur finden, etwas
Reizendes und Anziehendes gibt. So bekommt zum Beispiel manchmal das Brot beim Backen Risse, und diese
Zwischenräume, die nicht in der Absicht des Bäckers
liegen, haben doch eine gewisse Annehmlichkeit, eine
besondere Anziehungskraft für den Appetit. So brechen

---

52 Die Stoiker ließen in gewissen Fällen den freiwilligen Tod zu. Sokrates
und andere Philosophen dagegen hatten gelehrt, daß uns Gott gleichsam
wie Soldaten auf einen Posten gestellt hat, den wir nicht eher verlassen
dürfen, als bis er uns selbst ruft.

auch die Feigen bei ihrer Reife auf, und den Oliven verleiht gerade der Zustand naher Fäulnis noch einen besonderen Reiz. Die zur Erde geneigten Ähren, die Augenbrauen des Löwen, der Schaum an der Schnauze des wilden Schweines und so viele andere Dinge haben an und für sich betrachtet nichts Schönes, und doch tragen sie zu ihrem Schmucke bei und machen uns Vergnügen, weil sie Zubehör ihres eigenen Wesens sind. Hat daher jemand Empfänglichkeit und ein tieferes Verständnis für alles, was im Weltganzen geschieht, so gibt es kaum etwas, was uns auch unter solchen Nebenumständen nicht als eine Art harmonischer Übereinstimmung mit dem großen Ganzen erschiene. Wir werden demnach den natürlichen Rachen wilder Tiere nicht mit minderem Vergnügen sehen als den von Malern und Bildhauern nachgeahmten. Solchem von der Weisheit unterstützten Blick wird ebensowenig die eigenartige Schönheit einer betagten Frau oder eines alten Mannes wie der jugendliche Liebreiz eines Knaben entgehen können. Und so gibt es noch viele Dinge, die nicht jedermann, sondern nur der angenehm findet, der für die Natur und ihre Werke wahren Sinn hat.

3.

Hippokrates[53], der so viele Krankheiten geheilt hatte, wurde selbst krank und starb. Die Chaldäer[54] hatten vielen den Tod vorhergesagt, endlich wurden sie von demselben Geschick betroffen. Alexander und Pompeius und Gaius Cäsar, die ganze Städte massenhaft von Grund aus zerstört und unzählbare Mengen von Reitern und Fußvolk in den Schlachten niedergemetzelt hatten, verloren

53 Hippokrates war der berühmteste Arzt des Altertums; er war ungefähr 460 v. Chr. geboren.
54 Die Chaldäer haben sich mehr als irgendein anderes Volk mit den Beobachtungen der Gestirne beschäftigt. Zur Kaiserzeit waren Chaldäer, Sterndeuter und Wahrsager gleichbedeutend.

endlich ebenfalls ihr Leben. Heraklit, der über den Weltuntergang durch Feuer so viele naturphilosophische Betrachtungen angestellt hatte, starb an Wassersucht, den Körper in Rindsdünger gehüllt.[55] Die Wurmkrankheit hat den Demokrit getötet, Ungeziefer anderer Art tötete den Sokrates.[56] Was will ich damit sagen? Du hast dich eingeschifft, bist durch das Meer gefahren, bist im Hafen: steige nun aus! Ist's ein anderes Leben, so fehlen ja nirgends die Götter, auch dort nicht! Ist es dagegen, um nichts mehr zu fühlen, so enden deine Schmerzen und deine Vergnügungen, deine Einschließung in ein Gefäß,[57] das um so unwürdiger ist, als derjenige, der darin lebt, weit edler ist. Denn dieser ist die Vernunft, dein Genius, jener nur Erde und Verwesung.

4.

Verbringe den Rest deines Lebens nicht in Gedanken an andere, wenn sie keine Beziehung zum Gemeinwohl haben. Denn du versäumst damit die Erfüllung einer anderen Pflicht, wenn du deinen Geist damit beschäftigst, was dieser oder jener tut und warum, was er sagt, was er denkt oder vor hat usw., was dich von der Beobachtung deiner regierenden Vernunft abzieht. Du mußt also aus deiner Gedankenreihe jeden Zufall, jedes Unnütze, jede Neugier und jede Arglist verbannen, mußt dich gewöhnen, nur solche Gedanken zu haben, daß, wenn man dich plötzlich fragt, woran du denkst, du freimütig antworten kannst: An dies oder das; so daß man an deinen Gedanken erkennt, daß alles Einfachheit und Wohlwollen ist, wie es einem geselligen Wesen geziemt, daß du nicht an

55 Durch die Hitze des Düngers sollte nach Ansicht der Ärzte das Wasser im Körper vertrocknen.
56 Marc Aurel spricht hier jedenfalls bildlich. Epiktet verglich die Menschen mit Tieren, die Heuchler, Angeber, Verräter nannte er Schlangen, Würmer, Insekten.
57 Daß der Körper ein Gefäß genannt wird, findet sich bei mehreren alten Schriftstellern.

bloßes Vergnügen oder irgendeinen Genuß denkst, nicht an Haß, Neid, Argwohn oder sonst etwas, dessen Geständnis dich schamrot machen müßte. Ein solcher Mann, der nichts versäumt, sich in der Tugend zu vervollkommnen, ist wie ein Priester und Diener der Götter, innig vertraut mit der Gottheit, die in ihm ihren Tempel[58] hat, die ihn unbefleckt von Lüsten, unverletzbar von Schmerzen, ungebeugt von Kränkung erhält; sie macht ihn unempfindlich gegen jegliche Schlechtigkeit, macht ihn zum Helden im größten aller Kämpfe, über alle Leidenschaften zu siegen, tief durchdrungen von Gerechtigkeitsliebe, im Grunde seines Herzens alles willig hinnehmend, was ihm zustößt und zuteil wird. Indem er sich selten und nur im Hinblick auf das allgemeine Beste mit dem beschäftigt, was ein anderer sagt, tut oder denkt, wendet er seine ganze Tätigkeit seinen eigenen Angelegenheiten zu, und die Bestimmung, die ihm die ewigen Naturgesetze auferlegen, ist der beständige Gegenstand seines Nachdenkens. Jenes verrichtet er so gut er kann, dieses hält er mit fester Überzeugung für gut, denn das uns zugeteilte Los ist für jeden entsprechend. Er erinnert sich, daß jedes vernünftige Wesen mit ihm verwandt ist und daß es der Menschennatur angemessen ist, unseresgleichen zu lieben, daß man nicht nach der Anerkennung der Menge, sondern nach der Achtung derjenigen, die der Natur gemäß leben, trachten müsse. Er erinnert sich stets, wie diejenigen, die nicht so leben, zu Hause und außer dem Hause, sowohl nachts als bei Tage sich benehmen und mit was für Leuten sie sich herumtreiben. Das Lob solcher Leute, die mit sich selber nicht zufrieden sein können, achtet er für nichts.

---

58 Wisset ihr nicht, sagt die Schrift, daß euer Leib ein Tempel Gottes ist? Vgl. 1. Kor. 6,19.

5.

Tue nichts mit Unwillen, nichts ohne Rücksicht aufs Gemeinwohl, nichts übereilt, nichts in Zerstreuung. Kleide deine Gedanken nicht in zierliche Worte, sei nicht weitschweifig in deinen Reden, noch tue vielgeschäftig. Vielmehr sei der Gott in dir der Führer eines gesetzten, erfahrenen, staatsklugen Mannes, eines Römers, eines Kaisers, eines Soldaten auf seinem Posten, der das Signal erwartet, eines Menschen, bereit ohne Bedauern das Leben zu verlassen, und dessen Wort weder eines Eidschwurs noch der Zeugenschaft anderer bedarf. Dann findet man die Heiterkeit der Seele, wenn man sich gewöhnt, der Hilfe von außen her zu entbehren und zu unserer Ruhe anderer Leute nicht zu bedürfen. Man soll aufrecht stehen, ohne aufrecht gehalten zu werden.

6.

Wenn du im menschlichen Leben etwas findest, was höher steht als die Gerechtigkeit, die Wahrheit, die Mäßigkeit, der Mut, mit einem Worte, als ein Gemüt, das in Hinsicht seiner vernunftgemäßen Handlungsweise mit sich selbst und hinsichtlich der Ereignisse, die nicht in seiner Gewalt stehen, mit dem Schicksal zufrieden ist, wenn du, sage ich, etwas Besseres findest, so wende dich dem mit der ganzen Macht deiner Seele zu und ergötze dich an diesem höchsten Gute. Wenn sich aber deinen Blicken nichts Besseres zeigt als der Geist, der in dir wohnt, der sich zum Herrn seiner eignen Begierden gemacht hat, sich genau Rechenschaft über alle seine Gedanken gibt, der sich, wie Sokrates sagte, von der Herrschaft der Sinne losreißt, sich der Leitung der Götter unterwirft und den Menschen seine Fürsorge widmet, wenn alles andere dir gering und wertlos erscheint, so gib auch keinem andern Dinge Raum. Denn hast du dich einmal hinreißen lassen, so steht es nicht mehr in deiner Macht, dich wieder loszumachen und dem einzigen

Gute, das in Wahrheit dein eigen ist, den Vorrang zu
geben. Es ist durchaus nicht erlaubt, jenem Gute, das sich
auf die Vernunft und das Handeln bezieht, irgend etwas
Fremdartiges, wie das Lob der Menge oder Herrschaft
oder Reichtum oder Sinnenlust an die Seite zu stellen.
Alle diese Dinge werden, wenn wir ihnen auch nur den
geringsten Zugang verstatten, die Oberhand bekommen
und uns vom rechten Wege abbringen. Wähle also, sage
ich, ohne Zaudern und wie ein freier Mann das höchste
Gut und halte mit aller Macht fest daran. Das höchste
Gut ist auch das Nützliche.[59] Ja das, was dem vernünftigen Geschöpfe nützlich ist, mußt du dir bewahren; ist es
dir aber nur als tierischem Wesen nützlich, so laß es fahren und erhalte dein Urteil frei von Vorurteilen, damit du
alles gründlich prüfen kannst.

7.

Betrachte niemals etwas als nützlich für dich, was dich
einst zwingen könnte, dein Wort zu brechen, deine Ehre
zu verlieren, jemanden zu hassen, zu verdächtigen, ihm
zu fluchen, dich gegen ihn zu verstellen, wünsche nie
etwas, was durch Mauern oder Vorhänge verborgen werden müßte.[60] Derjenige, der seiner Vernunft, dem Genius
in ihm und der Ehrerbietung für die Tugend den Vorrang
läßt, ergeht sich nicht in tragischen Ausrufen, stößt keinen Seufzer aus, sehnt sich weder nach der Einsamkeit,
noch nach Umgang mit einer zahlreichen Menge; er
wird, und darin liegt ein hohes Gut, leben, ohne das
Leben weder zu suchen noch zu fliehen, vollkommen
gleichgültig, ob für einen längeren oder kürzeren Zeitraum seine Seele von der Hülle seines Körpers umgeben
sein wird. Ja, sollte er auch in diesem Augenblick scheiden müssen, er wird ebenso gern scheiden wie bei Erfüllung irgendeiner andern, mit Ehre und Anstand überein-

59 Auch Plato sagte, daß das Gute und Schöne immer nützlich ist.
60 Vgl. Joh. 3,20: Wer Arges tut, der haßt das Licht.

stimmenden Handlung. Nur darauf ist er einzig und allein bedacht, seine Seele vor jeder Richtung zu bewahren, die eines denkenden und geselligen Wesens unwürdig ist.

8.

In dem Gemüte eines wohlerzogenen und geläuterten Menschen findet sich nichts Eiterartiges, nichts Unreines, nichts Arglistiges. Auch entreißt das Schicksal ihm das Leben nicht unvollendet, wie man von einem Schauspieler sagen könnte, daß er vor dem Ende und der Entwicklung des Stückes von der Bühne gegangen. An ihm findet sich weder etwas Knechtisches noch Gezwungenes, keine äußere Abhängigkeit, keine Zerrissenheit, nichts, was den Tadel zu fürchten oder das Licht zu scheuen hat.

9.

Bilde deine Urteilskraft sorgfältig aus. Das ist das wirksamste Mittel, daß keine Meinungen in dir entstehen, die der Natur und ebenso einem vernünftigen Geschöpfe widersprechen. Die Vernunft schreibt uns vor: Enthaltung von jeder Überstürzung in unseren Urteilen, Wohlwollen für die Menschen, Gehorsam gegen die Befehle der Götter.

10.

Schiebe alles übrige beiseite, halte nur an jenem wenigen fest. Bedenke unter anderem, daß wir nur die gegenwärtige Zeit leben, die ein unmerklicher Augenblick ist; die übrige Zeit ist entweder schon verlebt oder ungewiß. Unser Leben ist also etwas Unbedeutendes, unbedeutend auch der Erdenwinkel, wo wir leben, unbedeutend endlich der Nachruhm, selbst der dauerndste, er pflanzt sich fort durch eine Reihe schnell dahinsterbender Menschenkinder, die nicht einmal sich selbst kennen, geschweige denn jemanden, der längst vor ihnen gestorben ist, kennen sollten.

11.

Zu den hier ausgesprochenen Lebensregeln muß noch
eine hinzugefügt werden: von jedem Gegenstande des
Gedankenkreises bilde dir einen genauen, bestimmten
Begriff, so daß du denselben nach seiner wirklichen Beschaffenheit unverhüllt, ganz und nach allen seinen Bestandteilen anschaulich zu erkennen und ihn selbst sowohl, als auch die einzelnen Merkmale, aus denen er
zusammengesetzt ist und in die er wieder aufgelöst wird,
mit ihren richtigen Namen zu bezeichnen vermagst.
Nichts ist geeigneter, uns erhaben über alles Irdische zu
machen, als die Fähigkeit, jeden Gegenstand, der uns im
Leben aufstößt, richtig und vernunftgemäß zu untersuchen und ihn stets auf solche Art zu betrachten, daß es
uns zugleich klar wird, in welchem Zusammenhange er
stehe, welchen Nutzen er gewähre, welchen Wert er für
das Ganze, welchen für den einzelnen Menschen habe,
als Bürger jenes höchsten Staates, worin die übrigen Staaten gleichsam nur wie Häuser anzusehen sind.[61] Sprich:
Was ist das, was jetzt diese Vorstellung in mir erregt? Aus
welchen Teilen ist es zusammengesetzt? Wie lange kann
es seiner Natur nach bestehen? Welche Tugend muß ich
ihm gegenüber geltend machen? Etwa Sanftmut? Stand-
haftigkeit? Wahrheitsliebe? Vertrauen? Einfalt oder
Selbstgenügsamkeit usw.? Bei jedem Ereignisse muß
man sich sagen: Dies kommt von Gott, dies von der durchs
Schicksal gefügten Verkettung der Dinge und auch von
einem zufälligen Zusammenflusse von Umständen, dies
endlich rührt von einem Genossen unseres Stammes, Geschlechtes, von einem Freunde her, der jedoch nicht
weiß, was für ihn naturgemäß ist. Aber mir ist das nicht
unbekannt. Daher behandle ich ihn, wie es das natürliche
Gesetz der Gemeinschaft verlangt, wohlwollend und gerecht. Nicht weniger lasse ich es mir angelegen sein,

---

61 Hier wird wie in 2,16 das Weltall mit einer Polis verglichen.

selbst in gleichgültigen Dingen[62] jeden Gegenstand nach seinem wahren Werte zu schätzen.

12.

Wenn du bei all deinem Tun immer der gesunden Vernunft folgst, dasjenige, was dir im Augenblicke zu tun obliegt, mit Eifer, Kraft, Freundlichkeit betreibst und, ohne auf eine Nebensache zu sehen, den Genius in dir rein zu erhalten suchst, als ob du ihn sogleich zurückgeben müßtest, wenn du so ohne Furcht und ohne Hoffnung handelst, dir an der jedesmaligen naturgemäßen Tätigkeit und heldenmütigen Wahrheitsliebe in deinen Reden und Äußerungen genügen lässest, so wirst du ein glückliches Leben führen, und es gibt niemanden, der dich hindern könnte, so zu handeln.

13.

Wie die Ärzte für etwaige unerwartete Operationen ihre Werkzeuge und Eisen stets bei sich haben, so sollst auch du mit den nötigen Grundsätzen versehen sein, um göttliche und menschliche Dinge richtig anzusehen und, eingedenk des gegenseitigen Zusammenhanges beider, alles und auch das geringste danach zu verrichten. Denn du wirst ebensowenig etwas Menschliches[63] ohne Beziehung auf das Göttliche wie umgekehrt glücklich zustande bringen.

14.

Schweife nicht mehr ab! Denn du wirst keine Zeit haben, weder deine eigenen Denkwürdigkeiten[64] noch die alten

---

62 Im Griechischen steht: »Mitteldinge«. Die Stoiker fragten, welchen Nutzen ein Ding, z. B. Macht, Reichtum, Wissen usw. haben könne, sei es, um uns zur Erlangung des höchsten Gutes zu verhelfen oder zur Ausübung der Tugend. Nur durch diese Vermittlung wurde diesen sonst so gleichgültigen Dingen einiger Wert beigelegt.
63 Das Menschliche ist das Vernunftgemäße, was moralisch gut ist. Nach Marc Aurel gehören Religion und Moralität zusammen, das eine ist ohne das andere nicht möglich.
64 Dazu gehören auch die vorliegenden Selbstbekenntnisse.

Geschichten der Römer und Griechen noch die Auszüge
aus Schriftstellern durchzulesen, die du für dein Alter
zurückgelegt hast. Strebe also zum Ziele, gib leere Hoff-
nungen auf und komm, solange du es noch kannst, dir
selber zu Hilfe, wenn du dich selbst einigermaßen lieb
hast.

15.

Man muß wissen, wieviel verschiedene Bedeutungen die
Wörter:[65] stehlen, säen, kaufen, ruhen haben; nicht mit
den leiblichen Augen, sondern von einem andern Gesichtspunkt ist zu unterscheiden, was man tun muß.

16.

Leib, Seele, Vernunft – dem Leibe gehören die Empfindungen an, der Seele die Triebe, der Vernunft die Grundsätze. Das Vermögen, die Gegenstände sinnlich wahrzunehmen, hat auch das Vieh. Durch Begierden mechanisch
erregt zu werden, ist den wilden Tieren und den Mißge-
burten, einem Phalaris[66] und Nero gemeinsam. Sich
durch den Verstand zu dem leiten lassen, was der äußere
Anstand fordert, das tun auch die Gottesleugner, Vater-
landsverräter und diejenigen, die in ihren verschlossenen
Zimmern Schandtaten verüben. Wenn nun nach dem Gesagten dies allen gemeinschaftlich ist, so bleibt als eigentümlich für den Guten nur das übrig, daß er zu allem,
was ihm als Pflicht erscheint, die Vernunft zu seiner Füh-
rerin habe, alles, was ihm durch die Verkettung der Ge-
schicke begegnet, mit Liebe umfasse, den im Innern seiner Brust thronenden Genius nicht beflecke noch durch
ein Gewirre von Einbildungen beunruhige, sondern ihn
heiter erhalte, anspruchslos der Gottheit unterworfen,

---

65 Es gibt einen groben und feinen Diebstahl, es stiehlt auch derjenige,
der die Gelegenheit raubt, Gutes zu tun usw.
66 Phalaris, ein durch seine Grausamkeit berüchtigter Tyrann von Akra-
gas auf Sizilien, gest. 549 v. Chr.

und ebensowenig etwas rede, was der Wahrheit, als etwas tue, was der Gerechtigkeit widerstreitet. Sollte aber auch alle Welt in sein einfaches, sittsames und wohlgemutes Leben Zweifel setzen, so wird er darüber weder jemandem zürnen noch auch von dem Pfade abweichen, der zu einem Lebensziele führt, bei dem man rein, ruhig, bereit und mit williger Ergebung in sein Schicksal anlangen muß.

Viertes Buch

1.

Wenn das in uns Herrschende seiner Naturbeschaffenheit folgt, so ist sein Verhalten bei den Ereignissen des Lebens der Art, daß es sich stets in das Mögliche und Erlaubte mit Leichtigkeit zu finden weiß. Es hat keine Vorliebe für irgendeinen bestimmten Gegenstand, sondern die wünschenswerten Dinge sind nur ausnahmsweise[67] Gegenstände seines Strebens; was ihm aber an deren Statt in den Weg tritt, das macht es sich selbst zum Stoff seines Handelns, dem Feuer gleich, das sich dessen, was hineinfällt, bemächtigt, wovon ein schwächeres Licht erlöschen würde; aber eine helle Flamme pflegt das, was ihr zugeführt wird, sich gar schnell anzueignen und zu verzehren und lodert gerade davon nur um so höher empor.

2.

Keine deiner Handlungen geschehe aufs Geratewohl, keine anders, als es die Regeln der Lebenskunst gestatten.

[67] Vgl. 3,11. Anm. 62. Nur bedingungsweise soll man gleichgültige Dinge wünschen.

3.

Man sucht Zurückgezogenheit auf dem Lande, am Meeresufer, auf dem Gebirge, und auch du hast die Gewohnheit, dich danach lebhaft zu sehnen. Aber das ist bloß Unwissenheit und Schwachheit, da es dir ja freisteht, zu jeder dir beliebigen Stunde dich in dich selbst zurückzuziehen. Es gibt für den Menschen keine geräuschlosere und ungestörtere Zufluchtsstätte als seine eigene Seele, zumal wenn er in sich selbst solche Eigenschaften hat, bei deren Betrachtung er sogleich vollkommene Ruhe genießt, und diese Ruhe ist meiner Meinung nach nichts anderes als ein gutes Gewissen. Halte recht oft solche stille Einkehr und erneuere so dich selbst. Da mögen dir dann jene kurzen und einfachen Grundsätze gegenwärtig sein, die genügen werden, deine Seele heiter zu stimmen und dich instand zu setzen, mit Ergebenheit die Welt zu ertragen, wohin du zurückkehrst. Denn worüber solltest du auch unwillig sein? Über die Schlechtigkeit der Menschen? Aber sei doch des Grundgesetzes eingedenk, daß die vernünftigen Wesen füreinander geboren sind, daß Verträglichkeit ein Teil der Gerechtigkeit ist, daß die Menschen unvorsätzlich sündigen, und dann, daß es so vielen Leuten nichts genützt hat, in Feindschaft, Argwohn, Zank und Haß gelebt zu haben; die sind gestorben und zu Asche geworden. Höre also endlich auf, dir Sorge zu machen. Aber du bist vielleicht mit dem Lose unzufrieden, das dir infolge der Einrichtung des Weltalls beschieden ist? Da rufe dir diese Alternative ins Gedächtnis: Entweder waltet eine Vorsehung oder der Zusammenstoß von Atomen,[68] oder erinnere dich auch der Beweisgründe, daß diese Welt einer Stadt gleich ist.[69] Oder belästigt dich der Zustand deines Körpers? Nun, da beherzige nur, daß der denkende Geist, wenn er sich einmal

68 Marc Aurel glaubte an eine göttliche Vorsehung; aber er meint hier, man soll sich nicht um Dinge quälen, die man nicht ändern kann.
69 Vgl. 2,16. Anm. 49.

gesammelt hat und seiner eigenen Kraft bewußt geworden ist, von keinen sanften oder rohen Erregungen unserer Sinnlichkeit beeinflußt wird, und beachte alle die anderen Lehren, die du über Schmerz und Lust gehört und
dir als wahr angeeignet hast. Aber vielleicht treibt dich
eitle Ruhmsucht hin und her? Da beachte doch, wie
schnell alles ins Grab der Vergessenheit sinkt, welcher
unermeßliche Abgrund der Zeit vor dir war und nach dir
kommen wird, wie nichtig das Lobgetöne ist, wie wandelbar und urteilslos diejenigen sind, die dir Beifall zol-
len, und wie klein der Kreis, auf den dein Ruhm beschränkt bleibt! Ist ja doch die ganze Erde nur ein Punkt
im All, und welch kleiner Winkel auf ihr ist deine Wohnung! Und hier, wieviel sind derer, die dich preisen werden, und von welcher Beschaffenheit sind sie? Denke
also endlich daran, dich in jenes kleine Gebiet zurückzuziehen, das du selbst bist, und vor allem zerstreue dich
nicht und widerstrebe nicht, sondern bleibe frei und sieh
alle Dinge mit furchtlosem Auge an, als Mensch, als Bürger, als sterbliches Wesen. Unter den gebräuchlichsten
Wahrheiten aber richte vorzüglich auf folgende zwei dein
Augenmerk: erstens, daß die Außendinge mit deiner
Seele nicht in Berührung, sondern unbeweglich außerhalb derselben stehen, mithin Störungen deines Seelen-
friedens nur aus deiner Einbildung entstehen, und zweitens, daß alles, was du siehst, gar schnell sich verändert
und nicht mehr sein wird. Und von wie vielen Veränderungen bist du selbst schon Augenzeuge gewesen! Erwäge ohne Unterlaß: die Welt ist Verwandlung, das Leben Einbildung.

4.

Haben wir das Denkvermögen miteinander gemein, so
ist uns auch die Vernunft gemeinsam, kraft der wir vernünftige Wesen sind; ist dem so, so haben wir auch die
Stimme gemein, die uns vorschreibt, was wir tun und

nicht tun sollen; ist dem so, so haben wir auch alle ein
gemeinschaftliches Gesetz; ist dem so, so sind wir Mitbürger untereinander und leben zusammen unter derselben Regierung; ist dem so, so ist die Welt gleichsam unsere Stadt; denn welchen andern gemeinsamen Staat
könnte jemand nennen, in dem das ganze Menschengeschlecht dieselben Gesetze hätte? Ebendaher, von diesem
gemeinsamen Staate haben wir das Denkvermögen, die
Vernunft und die gesetzgeberische Kraft, oder woher
sonst? Denn gleich wie das Erdartige an mir sich von
gewissen Erdteilen abgesondert hat und das Feuchte von
einem andern Grundstoff und der Atem, den ich hauche,
und das Warme und das Feurige je aus einer eigentümlichen Quelle herrühren – denn von nichts kommt nichts,
so wenig wie etwas in das Nichts übergeht –, ebenso ist
natürlich auch das Denkvermögen irgendwoher gekommen.

5.

Der Tod ist, ebenso wie die Geburt, ein Geheimnis der
Natur, hier Verbindung, dort Auflösung derselben
Grundstoffe; durchaus nichts, dessen man sich zu schämen hätte; denn es widerstreitet nicht dem Wesen eines
vernünftigen Geschöpfes noch der Anlage seiner Konstitution.

6.

Daß Leute jener Art notwendigerweise so handeln müssen, ist ganz natürlich. Wollen, daß es anders sei, heißt
wollen, daß der Feigenbaum keinen Saft habe. Überhaupt aber sei dessen eingedenk, daß ihr beide, du sowohl als er, in gar kurzer Zeit sterben werdet; bald nachher werden nicht einmal eure Namen mehr übrig sein.

7.

Laß die Einbildung schwinden, und es schwindet die
Klage, daß man dir Böses getan. Mit der Unterdrückung

der Klage: »Man hat mir Böses getan« ist das Böse selbst unterdrückt.

8.

Was den Menschen nicht schlimmer macht, als er von Natur ist, das kann auch sein Leben nicht verschlimmern, kann ihm weder äußerlich noch innerlich schaden.

9.

Des Nutzens wegen ist die Natur gezwungen, so zu verfahren, wie sie es tut.

10.

Alles, was sich ereignet, geschieht gerecht. Wenn du sorgfältig alles beobachtest, wirst du das erkennen; ich sage: nicht nur der natürlichen Ordnung, sondern vielmehr der Gerechtigkeit gemäß, und wie von einem Wesen ausgehend, das alles nach Würdigkeit verteilt. Beachte dies also wohl, wie du begonnen hast, und was du nur tust, das tue mit dem Bestreben, gut zu sein, gut in der eigentlichen Bedeutung des Wortes. Das sei die feststehende Regel bei allem, was du tust.

11.

Fasse die Dinge nicht so auf, wie sie dein Beleidiger auffaßt oder von dir aufgefaßt haben will; sieh dieselben vielmehr so an, wie sie in Wahrheit sind.

12.

Zu zweierlei mußt du stets bereit sein: erstens, einzig nur das zu tun, was die königliche Gesetzgeberin Vernunft um des Menschenwohles willen dir eingibt, und zweitens, deine Meinung zu ändern, sobald nämlich jemand dich dazu veranlaßt dadurch, daß er sie berichtigt. Diese Meinungsänderung jedoch muß immer von der Überzeugung, daß sie gerecht oder gemeinnützig oder dergleichen sei, einzig und allein ausgehen, keineswegs aber davon, daß wir darin Annehmlichkeit oder Ruhm erblicken.

13.
Hast du Vernunft? – Ja. – Warum gebrauchst du sie denn nicht? Denn wenn du sie schalten lässest, was willst du noch mehr?

14.
Als ein Teil des Ganzen hast du bisher gelebt und wirst in deinem Erzeuger wieder aufgehen, oder vielmehr wirst du vermittels einer Umwandlung als neuer Lebenskeim wieder aufkommen.

15.
Viele Weihrauchkörner sind für denselben Altar bestimmt, die einen fallen früher, die anderen später ins Feuer; aber dies macht keinen Unterschied.

16.
Innerhalb zehn Tagen wirst du denen, die dich jetzt als ein wildes Tier und einen Affen ansehen, wie ein Gott vorkommen, wenn du zu deinen Grundsätzen und zum Dienst der Vernunft zurückkehrst.

17.
Tue nicht, als wenn du Tausende von Jahren zu leben hättest. Der Tod schwebt über deinem Haupte.[70] Solange du noch lebst, solange du noch kannst, sei ein rechtschaffener Mensch.

18.
Wieviel Muße gewinnt der, der nicht darauf, was sein Nächster spricht oder tut oder denkt, sondern nur auf

70 Der Mensch kann jeden Augenblick ein Opfer des Todes werden.

das sieht, was er selbst tut, daß es gerecht und heilig sei;
sieh nicht, sagt Agathon[71], die schlechten Sitten um dich
her, sondern wandle auf gerader Linie deinen Pfad, ohne
dich irremachen zu lassen.

19.

Wen der Glanz des Nachruhms blendet, erwägt nicht,
daß jeder von denen, die seiner gedenken, bald selbst
sterben wird, und so hinwiederum jegliches folgende Geschlecht, bis endlich dieser ganze Ruhm, nachdem er
durch einige sterbliche Wesen fortgepflanzt worden ist,
mit diesen selbst stirbt. Aber gesetzt auch, daß die, die
deiner gedenken werden, unsterblich wären und unster-
lich deines Namens Gedächtnis, welchen Wert hat denn
das für dich, wenn du tot bist, oder sagen wir, selbst
wenn du noch lebst? Was frommt das Lob, außer eben in
Verbindung mit gewissen zeitlichen Vorteilen? Laß daher
beizeiten jenes aufblähende Geschenk fahren, das ja nur
von fremdem Gerede abhängt.

20.

Alles Schöne, von welcher Art es auch sein mag, ist an
und für sich schön, es ist in sich selbst vollendet, und das
Lob bildet keinen Bestandteil seines Wesens. Das Lob
macht einen Gegenstand weder schlechter noch besser.
Das Gesagte gilt von allem, was man im gemeinen Leben
schön nennt, wie zum Beispiel von den Erzeugnissen der
Natur und der Kunst. Was wahrhaft schön ist, bedarf
keines Lobes, ebensowenig wie das Gesetz, ebensowenig
wie die Wahrheit, ebensowenig wie das Wohlwollen, wie
die Sittsamkeit. Wie könnte das durch Lob erst gut oder
durch Tadel schlecht werden? Verliert der Smaragd an
seinem Werte, wenn er nicht gelobt wird? Und ebenso

---

71 Agathon, ein Athener, Dichter vieler Tragödien, gest. um 400 v. Chr.

das Gold, das Elfenbein, der Purpur, eine Leier, ein Degen, eine Blume, ein Strauch?

21.

Wenn die Seelen fortdauern, wie kann der Luftraum sie von Ewigkeit her alle fassen? – Aber enthält denn nicht die Erde die Körper derjenigen, die seit ebenso vielen Jahrhunderten begraben wurden? Gleich wie diese hier nach einiger Zeit des Aufenthalts infolge ihrer Verwandlung und Auflösung anderen Toten Platz machen, ebenso dauern auch die in den Luftraum versetzten Seelen dort eine Weile noch fort,[72] werden dann verwandelt, zerstreut, geläutert, in den Grundstoff des Alls aufgenommen und machen auf diese Art den Nachkommenden Platz. Dies etwa könnte man auf die Frage nach der Fortdauer der Seelen antworten. Und hierbei muß man außer der Menge der also beerdigten Menschenleiber auch noch diejenigen der Tiere hinzurechnen, die täglich von uns und anderen Tieren verzehrt werden. Denn welch eine große Anzahl derselben wird nicht verbraucht, die gleichsam in den Leibern derjenigen begraben sind, die sich davon nähren! Und doch reicht dieser Raum hin, sie aufzunehmen, weil sie hier teils in Blut übergehen, teils sich in Feuer und Luft auflösen. Das Mittel, die Wahrheit über diesen Gegenstand zu entdecken, heißt Unterscheidung von Materie und Form.

22.

Laß dich nicht hin und her reißen. Bei allem, was du tust, denke an das, was recht ist, und bei allem, was du denkst, halte dich an das, was klar zu begreifen ist.

---

72 Über die Unsterblichkeit der Seele waren die Ansichten der Stoiker verschieden. Nach einigen lebten nur die Seelen der Gerechten nach dem Tode fort; andere glaubten an die Fortdauer aller Seelen ohne Unterschied.

23.

Alles, was dir ansteht, o Welt, steht auch mir an.[73] Nichts kommt mir zu früh, nichts zu spät, was für dich zur rechten Zeit kommt. Alles, was deine Zeiten mitbringen, ist mir eine liebliche Frucht, o Natur. Von dir kommt alles, in dir ist alles, in dich kehrt alles zurück. Jener sagt: »O du geliebte Kekropsstadt«[74], und du solltest nicht sagen: »O du geliebte Gottesstadt?«

24.

Beschränke deine Tätigkeit auf weniges, sagt Demokritos, wenn du in deinem Innern ruhig sein willst. Vielleicht wäre es besser, zu sagen: Tu das, was notwendig ist und was die Vernunft eines von Natur zur Staatsgemeinschaft bestimmten Wesens gebietet und so, wie sie es gebietet; dies verschafft uns nicht nur die Zufriedenheit, die aus dem Rechttun, sondern auch diejenige, die aus dem Wenigtun entspringt. In der Tat, wenn wir das meiste, was in unserem Reden und Tun unnötig ist, wegließen, so würden wir mehr Muße und weniger Unruhe haben. Frage dich also bei jeglicher Sache: Gehört diese etwa zu den unnötigen Dingen? Man muß aber nicht nur die unnützen Handlungen, sondern auch die unnützen Gedanken vermeiden; denn die letzteren sind auch die Ursache der überflüssigen Handlungen.

25.

Mach einmal den Versuch, wie sich's als rechtschaffener Mann lebt, der mit dem vom Weltganzen ihm beschiedenen Schicksale zufrieden ist und in seiner eigenen rechtschaffenen Handlungsweise und seiner wohlwollenden Gesinnung sein Glück findet.

---

73 Die Welt als Gesamtinbegriff von Materie und Form war den Stoikern häufig identisch mit der Gottheit.
74 Kekrops, Erbauer Athens. Diese Worte stammen aus einem Lustspiele des Aristophanes. Gottesstadt ist die ganze Welt.

26.

Hast du das ins Auge gefaßt? Nun, so beachte auch folgendes: Beunruhige dich selbst nicht; bleibe schlicht! Vergeht sich einer an dir? Er vergeht sich an sich selbst. Ist dir etwas zugestoßen? Gut. Alles, was dir widerfährt, war dir von Anfang an nach dem Lauf der Weltgesetze so bestimmt und zugeordnet. Mit wenigen Worten: das Leben ist kurz; von der Gegenwart muß man durch wohlüberlegtes und rechtschaffenes Tun Gewinn ziehen. Auch in Erholungsstunden bleibe nüchtern.

27.

Ist die Welt etwas Wohlgeordnetes oder ein zufälliges Durcheinander, das man aber doch Weltordnung nennt? Wie? In dir ist Ordnung, und im Weltganzen wäre alles Gewirr und Unordnung? Und das bei der so harmonischen Verknüpfung aller möglichen Kräfte, die einander widerstreiten und zerteilt sind.

28.

Es gibt einen schwarzen Charakter, einen weibischen Charakter, einen halsstarrigen, einen tierischen, viehischen, kindischen, dummen, zweideutigen, geckenhaften, treulosen, tyrannischen Charakter.

29.

Wenn derjenige ein Fremdling in der Welt zu nennen ist, der nicht weiß, was in ihr vorhanden ist, so ist der nicht weniger ein Fremdling, der nicht weiß, was in ihr geschieht. Ein Flüchtling ist, wer sich den Staatsgesetzen entzieht; ein Blinder, wer das Geistesauge verschließt; ein Bettler, wer eines andern bedarf und das, was zum Leben nötig ist, nicht selbst besitzt, eine Geschwulst am Weltkörper derjenige, der vom Grundgesetz der Allnatur sich dadurch trennt und lossagt, daß ihm die Ereignisse in derselben mißfallen, denn sie führt alles herbei und hat

auch dich hervorgebracht; ein Abtrünniger vom Staat ist,
wer seine eigene Seele der allen Vernunftwesen gemeinschaftlichen Seele abtrünnig macht.[75]

30.

Hier ist einer Philosoph ohne Rock,[76] dort ein anderer
ohne Buch, ein dritter halb nackt. Brot habe ich nicht,
sagt er, und halte doch meine Lehre aufrecht. Auch mir
gewähren die Wissenschaften keinen Unterhalt, und ich
bleibe ihnen doch ergeben.

31.

Die Kunst, die du gelernt hast, sei dir lieb; da mußt du
verweilen. Den Rest deines Lebens verbringe als ein
Mensch, der alle seine Angelegenheiten von ganzer Seele
den Göttern überlassen hat und sich weder zu irgendeines Menschen Tyrannen noch Sklaven macht.

32.

Betrachte einmal zum Beispiel die Zeiten unter Vespa-
sian, und du wirst alles finden wie jetzt: Menschen, die
freien, die Kinder erziehen, Kranke und Sterbende,
Kriegsleute und Festfeiernde, Handeltreibende, Acker-
bauer, Schmeichler, Anmaßende, Argwöhnische, Gott-
lose, solche, die den Tod dieses oder jenes herbeiwün-
schen, über die Gegenwart murren, verliebt sind, Schätze
sammeln, Konsulate, Königskronen begehren. Nun, sie
sind nicht mehr, sie haben aufgehört zu leben. Gehe dann
zu den Zeiten Trajans über. Abermals ganz dasselbe.
Auch dieses Lebensalter ist ausgestorben. Betrachte
gleichfalls die anderen Abschnitte von Zeiten und ganzen
Völkern und siehe, wie viele, die Großes geleistet, bald
dahinsanken und in die Grundstoffe aufgelöst wurden.

---

75 Die Welt wird nach den Stoikern von einer einzigen Seele bewegt, von
der jede einzelne Seele ein Teil ist.
76 Zyniker.

Besonders aber rufe in dein Gedächtnis diejenigen zurück, die du persönlich gekannt hast, wie sie über dem Haschen nach eitlen Dingen vernachlässigten, das zu tun, was der eigentümlichen Beschaffenheit ihres Wesens gemäß war, daran unablässig festzuhalten und hierauf ihre Wünsche zu beschränken. Hier mußt du auch noch eingedenk sein, daß die auf jedes Geschäft verwandte Sorgfalt zu seiner Wichtigkeit im rechten Maß und Verhältnis stehen muß. Denn dann wirst du keinen Unmut empfinden, wenn du dich nicht mehr, als sich's gebührt, mit Kleinigkeiten beschäftigst.

33.

Einst gebräuchliche Worte sind jetzt unverständliche Ausdrücke. So geht es auch mit den Namen ehemals hochgepriesener Männer, wie Camillus[77], Käso[78], Volesus, Leonnatus[79], und in kurzer Zeit wird das auch mit einem Scipio und Cato, nachher mit Augustus und dann mit Hadrian und Antoninus der Fall sein. Alles vergeht und wird bald zum Märchen und sinkt rasch in völlige Vergessenheit. Und dies gilt von denen, die einst so wunderbar geglänzt haben. Denn die übrigen, wenn sie kaum den Geist ausgehaucht haben, »schwinden unrühmlich dahin, weder gehört noch gesehen«.[80] Was wäre aber auch eigentlich ein ewiger Nachruhm? Ein völliges Nichts. Was ist es also, worauf wir unsere ganze Sorge lenken müssen? Nur das eine: eine gerechte Sinnesart, gemeinnütziges Handeln, beständige Wahrheit im Reden und eine Gemütsstimmung, alles, was uns zustößt, mit Ergebung hinzunehmen wie eine Notwendigkeit, eine bekannte Sache, die mit uns einerlei Quelle und Ursprung hat.

77 Rettete Rom von den Galliern.
78 Käso Fabius, Konsul.
79 Ein Feldherr und Freund Alexanders des Großen.
80 Erwähnung einer Stelle aus Homers *Odyssee* (1,242), wo Telemach klagt, von seinem Vater keine Nachricht zu haben.

34.

Überlaß dich ohne Widerstand dem Geschick und laß dich von diesem in die Verhältnisse verflechten, in die es ihm beliebt.

35.

Alles geht in einem Tage dahin, sowohl der Rühmende als der Gerühmte.

36.

Betrachte unaufhörlich, wie alles Werdende kraft einer Umwandlung entsteht, und gewöhne dich so an den Gedanken, daß die Allnatur nichts so sehr liebt, wie das Vorhandene umzuwandeln, um daraus Neues von ähnlicher Art zu schaffen; denn alles Vorhandene ist gewissermaßen der Same dessen, was aus ihm werden soll. Du aber stellst dir nur *das* als Samen vor, was in die Erde oder in den Mutterschoß fällt. Das ist ganz oberflächlich gedacht.

37.

Bald wirst du tot sein und bist noch nicht weder fest noch ohne Unruhe noch frei von der Einbildung, daß du durch die Außendinge unglücklich werden kannst, nicht wohlwollend gegen jedermann. nicht gewohnt, die Weisheit allein in rechten Taten zu suchen.

38.

Prüfe die Gemüter der Menschen, sieh, was die Weisen vermeiden und wonach sie trachten.

39.

Dein Übel hat seinen Grund nicht in der herrschenden Denkungsart eines andern, auch nicht in der Veränderung und Umstimmung deiner körperlichen Hülle. Wo also? In dem Teile deines Selbst, wo das Vermögen, über

Übel gewisse Meinungen zu hegen, seinen Sitz hat. Möge da keine falsche Vorstellung sein, und alles steht gut. Ja, würde selbst das mit ihm so eng verbindende Körperchen geschnitten, gebrannt, vereitern, verfaulen, soll doch der Teil deines Wesens, der über das alles seine Meinungen hegt, ruhig bleiben, das heißt, er fälle das Urteil, daß das, was dem bösen und dem tugendhaften Manne gleicherweise zustoßen kann, weder ein Übel noch ein Gut sei. Denn was sowohl dem naturwidrig als dem naturgemäß lebenden Menschen ohne Unterschied begegnet, das ist selbst weder naturgemäß noch naturwidrig.

40.

Stelle dir stets die Welt als ein Geschöpf vor, das nur aus *einer* Materie und aus einem einzigen Geiste besteht. Sieh, wie alles der *einen* Empfindung derselben sich fügt; wie vermöge einheitlicher Triebkraft alles sich bildet, wie alles zu allen Ereignissen mitwirkt, alles mit allem Werdenden in begründetem Zusammenhange steht und von welcher Art die innige Verknüpfung und Wechselwirkung ist.

41.

»Ein Seelchen bist du, von einem Leichnam belastet«, sagt Epiktet.

42.

Es ist kein Übel für die Wesen, die Veränderung zu erleiden, wie es kein Gut für sie ist, kraft der Veränderung zu existieren.[81]

43.

Die Zeit ist ein Fluß, ein ungestümer Strom, der alles fortreißt. Jegliches Ding, nachdem es kaum zum Vor-

81 D. h.: Der Tod ist kein Übel und das Leben kein großes Gut.

schein gekommen, ist auch schon wieder fortgerissen, ein anderes wird herbeigetragen, aber auch das wird bald verschwinden.

44.

Alles, was geschieht, ist so gewöhnlich und bekannt wie die Rose im Frühling und die Frucht zur Erntezeit. Dahin gehören also auch Krankheit und Tod, Verleumdung und Nachstellung und was sonst noch die Toren erfreut oder betrübt.

45.

Das Folgende schließt sich jederzeit dem Vorangehenden verwandtschaftlich an. Es ist hier nicht etwa so wie bei einer Reihe von Zahlen, die im Zusammenhang einen andern Wert bezeichnen als jede einzelne; hier ist eine vernunftmäßige Verbindung; und gleich wie in allem, was schon existiert, eine vollkommene Zusammenfügung herrscht, so zeigt sich auch in dem, was noch geschieht, keine bloß äußerliche Aufeinanderfolge, sondern eine wunderbare Zusammengehörigkeit.

46.

Stets erinnere dich des Ausspruchs von Heraklit, daß es der Erde Tod sei, zu Wasser zu werden, des Wassers Tod, zu Luft zu werden, der Luft Tod, zu Feuer zu werden, und umgekehrt.[82] Erinnere dich jenes Menschen, der es vergißt, wohin sein Weg führt, desgleichen wie wir mit der alles regierenden Vernunft, mit der wir doch täglich verkehren, uns im Zwiespalt befinden und wie uns selbst Dinge, die uns jeden Tag vorkommen, fremd erscheinen; ferner, daß wir nicht wie Schlafende handeln und reden dürfen, denn auch im Schlaf scheinen wir zu handeln und zu reden, und daß wir es endlich ebensowenig wie die

82 D. h.: Nichts stirbt, sondern wird in etwas anderes verwandelt.

verzogenen Kinder machen sollen, die nur den Grundsatz haben: So haben wir's von unseren Eltern gelernt.

47.

Gleichwie, wenn ein Gott dir sagte: »Du mußt morgen oder spätestens übermorgen sterben«, du wohl nicht so sehr darauf bestehen würdest, lieber übermorgen als morgen zu sterben, wofern du nicht etwa feige dächtest – denn wie kurz ist der Unterschied! –, ebenso halte es für gleichgültig, ob du erst nach langen Jahren oder morgen schon stirbst.

48.

Erwäge beständig, wie viele Ärzte schon dahingestorben sind, die oft am Lager ihrer Kranken die Stirne in ernste Falten gelegt, und wie viele Astrologen, die wie etwas Wunderbares den Tod anderer vorausgesagt! Wie viele Philosophen, die über Tod und Unsterblichkeit ihre tausenderlei Gedanken ausgebrütet; wie viele Kriegshelden, die eine Menge Menschen getötet; wie viele Gewaltherrscher, die, gleich als wären sie selbst unsterblich, ihre Macht über fremdes Leben mit furchtbarem Übermute mißbraucht haben! Wie viele Städte sind nach ihrem ganzen Umfang, daß ich so sage, gestorben, Helike[83] und Pompeji und Herkulanum und unzählige andere! Gehe nun auch der Reihe nach alle deine Bekannten durch! Der eine hat diesen, der andere jenen bestattet und ist bald selbst bestattet worden, und das alles in so kurzer Zeit! – Siehe denn also im ganzen genommen das Menschliche jeder Zeit als etwas Flüchtiges und Wertloses an! Was gestern noch im Keimen war, ist morgen schon einbalsamiertes Fleisch[84] oder ein Haufen Asche. Durchlebe demnach diesen Augenblick von Zeit der Na-

---

83 Einst Stadt in Achaia, sank bei einem Erdbeben ins Meer.
84 Bezieht sich auf den Gebrauch, die Toten einzubalsamieren oder zu verbrennen.

tur gemäß, dann scheide heiter von hinnen, gleich der
gereiften Olive: Sie fällt ab, die Erde, ihre Erzeugerin,
preisend und voll Dank gegen den Baum, der sie hervorgebracht hat.

49.

Sei wie ein Fels, an dem sich beständig die Wellen brechen: Er steht fest und dämpft die Wut der ihn umbrau-
senden Wogen. Ich Unglückseliger, sagt jemand, daß mir
dieses oder jenes widerfahren mußte! Nicht doch! sondern sprich: Wie glücklich bin ich, daß ich trotz diesem
Schicksal kummerlos bleibe, weder von der Gegenwart
gebeugt noch von der Zukunft geängstigt! Dasselbe hätte
ja jedem andern so gut wie mir begegnen können, aber
nicht jeder hätte es ohne Kummer ertragen können.
Warum wäre nun jenes eher ein Unglück als dieses ein
Glück? Kann man das überhaupt ein Unglück nennen,
was den Endzweck der Natur des Menschen nicht uner-
füllt läßt, oder scheint dir etwas der Natur des Menschen
zu widersprechen, was nicht gegen den Willen seiner Natur ist? Was ist aber dieser Wille? Du kennst ihn. Hindert
dich denn das, was dir zustößt, gerecht, hochherzig, besonnen, verständig, vorsichtig im Urteil, truglos, bescheiden, freimütig zu sein, alle Eigenschaften zu haben,
in deren Besitz die Eigentümlichkeit der Menschennatur
besteht? Denke also daran, bei allem, was dir Traurigkeit
verursachen könnte, bei dieser Wahrheit Zuflucht zu suchen: Dies ist kein Unglück,[85] vielmehr ein Glück, es mit
edlem Mute zu ertragen.

50.

Es ist ein gewöhnliches, aber ein wirksames Hilfsmittel
zur Todesverachtung, sich diejenigen zu vergegenwärti-
gen, die mit Zähigkeit am Leben hingen. Was haben sie

---

85 Nicht der Tod ist ein Unglück, sondern die Furcht vor dem Tode.

vor denen, die früher verstorben sind, voraus? Sie sind
auch unterlegen: Cadicianus[86], Fabius[87], Julianus[88], Le-
pidus[89] und alle, die viele zur Bestattung hinausgetragen
haben und dann selbst hinausgetragen worden sind. Ja,
da ist wenig Unterschied, und unter wie vielen Mühselig-
keiten und in welcher Gesellschaft und in was für einem
Körper mußten sie diese Zeit zubringen! Mache also
nicht soviel Wesens davon! Schau auf das Unermeßliche
der Zeit hinter dir und auf eine andre Unendlichkeit vor
dir! Was ist denn da noch für ein Unterschied zwischen
einem, der drei Tage, und einem anderen, der drei
Menschenalter[90] gelebt hat?

51.

Geh immer den kürzesten Weg. Der kürzeste Weg ist der
naturgemäße, das heißt in allen Reden und Handlungen
der gesunden Vernunft folgen. Ein solcher Entschluß be-
freit dich von tausend Kümmernissen und Kämpfen, von
jeder Verstellung und Eitelkeit.

Fünftes Buch

1.

Wenn du des Morgens nicht gern aufstehen magst, so
denke: Ich erwache, um als Mensch zu wirken. Warum
sollte ich mit Unwillen das tun, wozu ich geschaffen und
in die Welt geschickt bin? Bin ich denn geboren, um im
warmen Bette liegen zu bleiben? – »Aber das ist angenehmer.« – Du bist also zum Vergnügen geboren, nicht zur
Tätigkeit, zur Arbeit? Siehst du nicht, wie die Pflanzen,
die Sperlinge, die Ameisen, die Spinnen, die Bienen alle

86–89 Männer, die ein hohes Alter erreichten.
90 Wie Homer von Nestor erzählt.

ihr Geschäft verrichten und nach ihrem Vermögen der
Harmonie der Welt dienen? Und du weigerst dich, deine
Pflicht als Mensch zu tun, eilst nicht zu deiner natürlichen Bestimmung? »Aber man muß doch auch ausru-
hen?« Freilich muß man das. Indes hat auch hierin die
Natur eine bestimmte Grenze gesetzt, wie sie im Essen
und Trinken eine solche gesetzt hat. Du aber überschrei-
test diese Schranke, du gehst über das Bedürfnis hinaus.
Nicht so in den Äußerungen deiner Tätigkeit; hier bleibst
du hinter dem Möglichen zurück. Du liebst dich eben
selbst nicht, sonst würdest du auch deine Natur und das,
was sie will, lieben. Diejenigen, die ihr Handwerk lieben,
arbeiten sich dabei ab, vergessen das Bad und die Mahl-
zeit. Du aber achtest deine Natur weniger hoch als der
Erzgießer seine Bildformen, der Tänzer seine Sprünge,
der Geizhals sein Geld, der Ehrgeizige sein bißchen
Ruhm? Auch diese versagen sich den Gegenständen ihrer
Leidenschaft zuliebe eher Nahrung und Schlaf, als daß
sie es weiter zu bringen suchen in dem, was für sie so
anziehend ist. Dir aber erscheinen gemeinnützige Handlungen geringfügiger und der Anstrengung nicht so wert.

2.

Wie leicht ist es, jede verdrießliche oder unziemliche
Vorstellung von sich abzuwehren und zu unterdrücken
und sogleich wieder in vollkommener Gemütsruhe zu
sein.

3.

Betrachte alles naturgemäße Reden und Tun als deiner
würdig. Laß dich also durch keine darauf folgenden Vorwürfe oder das Gerede anderer beeinflussen, vielmehr,
wenn etwas gut ist zu tun oder zu sagen, so halte es
deiner nicht für unwürdig. Jene haben eben ihren eigenen
Sinn und folgen ihrer eigenen Neigung. Danach schaue
dich nicht um, sondern gehe den geraden Weg und folge

deiner eigenen und der gemeinsamen Natur.[91] Beide haben nur *einen* Weg.

4.

Ich schreite vorwärts mit meinem naturgemäßen Lauf, bis ich hinsinke und ausruhe und meinen Geist in dasselbe Element aushauche, aus dem ich ihn täglich einatme, und zur Erde zurückkehre, von der mein Vater den Zeugungsstoff, meine Mutter das Blut und meine Amme die Milch erhielt, von der ich täglich so viele Jahre hindurch Speise und Trank empfange, die mich trägt, während ich sie mit Füßen trete und so vielfach mißbrauche.

5.

Durch deine Geistesschärfe kannst du keine Bewunderung erlangen. Es sei! Allein es gibt vieles andere, wovon du nicht sagen kannst, daß du dazu nicht geeignet wärest. Zeige demnach das an dir, was ganz in deiner Macht steht, sei lauter, ehrbar, arbeitsam, nicht vergnügungssüchtig, zufrieden mit deinem Geschick, genügsam, wohlwollend, freimütig, einfach, ernsthaft und großmütig. Fühlst du's nicht, von wie vielen Seiten du dich schon hättest zeigen können, ohne dich mit natürlichem Unvermögen entschuldigen zu dürfen? Und dennoch bleibst du aus freien Stücken hinter dieser Vollkommenheit zurück. Oder bist du infolge einer fehlerhaften Naturanlage gezwungen zu murren, deine Trägheit zu zeigen, zu schmeicheln, dein Körperchen anzuklagen, seinen Launen nachzugeben, großzutun und darüber in so viel Seelenruhe zu schweben? Nein, bei den Göttern; es ist nicht so! Vielmehr hättest du von diesen Fehlern schon längst frei sein können. Wenigstens hättest du, wenn du dich wirklich als etwas langsam und schwerfällig im Begreifen erkennen mußt, dieser Schwäche durch Übung abhelfen,

91 Siehe 1,9.

nicht aber sie außer acht lassen oder dir gar in deiner
Untätigkeit gefallen sollen.

6.

Mancher, der jemandem eine Gefälligkeit erwiesen hat,
ist sogleich bei der Hand, sie ihm in Rechnung zu stellen;
ein anderer ist zwar dazu nicht sogleich bereit, denkt sich
aber doch denselben in anderer Hinsicht als seinen
Schuldner und hat den geleisteten Dienst immer in Gedanken. Ein dritter dagegen weiß gewissermaßen nicht
einmal, was er geleistet hat; er ist dem Weinstocke gleich,
der Trauben trägt und nichts weiter will, zufrieden, daß
er seine Frucht gegeben hat. Wie ein Pferd, das dahin
rennt, ein Hund nach der Jagd und eine Biene, die ihren
Honig bereitet: so der Mensch, der Gutes getan hat; er
posaunt es nicht aus,[92] sondern schreitet zu einem andern
guten Werke, wie der Weinstock sich berankt, um zu
seiner Zeit wieder Trauben zu tragen. Man soll also denjenigen sich anschließen, die hierin gewissermaßen ohne
Überlegung handeln? Allerdings. Aber, sprichst du, man
muß doch wissen, was man tut, und einem geselligen
Wesen ist es ja, wie's heißt, eigentümlich, zu wissen, daß
es zum Nutzen der Gesellschaft wirkt, und bei Gott!
auch zu wollen, daß sein Mitgenosse das empfinde. Wohl
wahr, was du da sagst; aber du verstehst den Sinn meiner
Worte nicht recht und wirst deshalb zur Klasse derjenigen gehören, deren ich zuvor gedacht habe; denn sie lassen sich durch einen gewissen Schein von Vernunftmä-
ßigkeit irreführen. Willst du hingegen den wahren Sinn
meiner Äußerung erfassen, so fürchte nicht, darüber irgendeine gemeinnützige Handlung zu unterlassen.

92 Diese Worte des heidnischen Philosophen erinnern an Matth. 6,2:
Wenn du nun Almosen gibst, sollst du nicht lassen vor dir posaunen, wie
die Heuchler tun, auf daß sie von den Leuten gepriesen werden. Wahr-
lich, ich sage euch: Sie haben ihren Lohn dahin.

7.

Die Athener beteten: »Gib bald Regen, lieber Zeus, gib
Regen den Fluren und Auen der Athener!« Entweder soll
man gar nicht beten oder auf diese Art, so einfach und
edelgesinnt.[93]

8.

Wie man sagt: Der Arzt hat diesem Kranken das Reiten
oder ein kaltes Bad oder das Barfußgehen verordnet, so
kann man ähnlich sagen: Die Allnatur hat diesem oder
jenem eine Krankheit oder Verstümmelung oder einen
Verlust oder etwas anderes der Art verordnet. Denn dort
bedeutet der Ausdruck »er hat's verordnet« so viel wie:
Er hat es ihm als der Gesundheit dienlich verordnet, hier
aber so viel als: Was jedem Menschen begegnet, hat das
Geschick als ihm dienlich angeordnet. In ähnlicher Weise
sagen wir, daß etwas für uns passend ist, wie die Baukünstler von den Quadersteinen in den Mauern oder Py-
ramiden sagen, sie passen, wenn sie in einer gewissen,
symmetrischen Verbindung stehen. Im großen und ganzen waltet eine einheitliche Übereinstimmung, und
gleichwie aus allen Körpern zusammengenommen die
Welt ein so vollendeter Körper wird, so wird auch aus
allen wirkenden Ursachen zusammengenommen jene
höchste ursächliche Kraft, das Schicksal. Was ich hier
sage, verstehen auch die allerunwissendsten Menschen;
denn sie sagen ja: Das ist Schickung; also wurde es uns
zugeschickt oder zugeordnet. Lasset uns mithin derlei
Schickungen so hinnehmen wie die Mittel, die ein Arzt
verordnet. Schmeckt ja auch unter diesen vieles bitter,
und doch heißen wir's in Aussicht auf Genesung willkommen. Denke dir also dasjenige, was die gemeinsame
Natur für vollständige Erreichung des Zieles bestimmt,

93 Marc Aurel meint, man solle nicht wegen persönlicher Interessen zu
Gott beten. Das Gebet der Athener war allgemein. Übrigens beteten sie
nicht bloß für Attika, sondern für ganz Griechenland.

als etwas deiner Gesundheit Ähnliches und heiße alles, was geschieht, wenn es dir auch so hart erscheint, willkommen, weil es zum Ziele hinführt, nämlich zur Gesundheit der Welt und zum gedeihlichen Wirken und zur Seligkeit des höchsten Gottes. Denn er würde einem Menschen nichts der Art zuschicken, wenn es nicht dem Ganzen nützlich wäre. Schickt ja nicht einmal ein Wesen gewöhnlicher Art einem andern von ihm abhängigen etwas zu, was demselben nicht förderlich ist. Aus zwei Gründen also mußt du mit dem, was dir widerfährt, zufrieden sein: fürs erste nämlich, weil es dir bestimmt und verordnet wurde und in Verkettung mit einer langen Reihe vorhergegangener Ursachen auf dich irgendwie Bezug hatte; fürs andere aber, weil es für den Beherrscher des Ganzen der Grund seines gedeihlichen Wirkens, seiner Vollkommenheit, ja sogar seiner Fortdauer ist. Denn das Weltganze würde verstümmelt werden, wenn du aus dem Zusammenhang und Zusammenhalt wie der Bestandteile, so denn auch der wirkenden Ursachen auch nur das geringste lostrennen wolltest. Du trennst es aber los, soviel es bei dir steht, wenn du damit unzufrieden bist und es gewissermaßen wegzuräumen suchst.

9.

Empfinde keinen Ekel, laß deinen Eifer und Mut nicht sinken, wenn es dir nicht vollständig gelingt, alles nach richtigen Grundsätzen auszuführen; fange vielmehr, wenn dir etwas mißlungen ist, von neuem an und sei zufrieden, wenn die Mehrzahl deiner Handlungen der Menschennatur gemäß ist, und behalte das lieb, worauf du zurückkommst. Kehre zur Philosophie nicht wie zu einer Zuchtmeisterin zurück, sondern wie die Augenkranken zum Schwämmchen oder zum Ei[94] oder ein an-

94 Im Altertum Heilmittel bei Augenkrankheiten.

derer zum Pflaster oder zum Wasserstrahl. Denn alsdann wird es keine Qual für dich sein, der Vernunft zu gehorchen, vielmehr wirst du dich ihr vertrauensvoll anschließen. Bedenke doch nur, daß die Philosophie nur das verlangt, was auch deine Natur verlangt. Du aber wolltest etwas anderes, etwas Naturwidriges? Was von beiden ist anziehender? Täuscht uns nicht oft die Lust durch den Schein? Sieh nur einmal zu, ob nicht Hochherzigkeit, Geistesfreiheit, Einfalt, Billigkeit und Unsträflichkeit doch anziehender sind. Oder was ist anziehender als eben die Einsicht, wenn du darunter die Fertigkeit des Vermögens der Erkenntnis und des Wissens verstehst, in allem ohne Anstoß und glücklich seine Zwecke zu erreichen?

10.

Die Dinge in der Welt sind gewissermaßen in ein solches Dunkel gehüllt, daß nicht wenige Philosophen, und zwar nicht alltägliche, bekannt haben, man könnte sie nicht begreifen. Selbst die Stoiker halten sie für schwer ergründlich. Und wirklich sind auch all unsere Begriffe veränderlich. Denn wo ist ein Mensch, der sich niemals in seinen Urteilen geändert hat? Geh nun mit deiner Betrachtung auf die erkannten Gegenstände selbst über. Wie kurzdauernd und wertlos sind sie und können sogar das Eigentum eines Possenreißers, eines Unzüchtigen oder eines Straßenräubers werden! Lenke danach deinen Blick auf den Geist deiner Zeitgenossen. Man hat Mühe, selbst die Art und Weise des Dienstfertigsten unter ihnen erträglich zu finden, ganz davon zu schweigen, daß mancher sich selbst kaum ertragen kann. Was nun bei solchem Dunkel und solcher Widerlichkeit der Zustände und dem so raschen Verlauf der Dinge und der Zeit, der Bewegung und des Bewegten wohl der Hochschätzung oder des Strebens überhaupt noch wert sein könne, vermag ich nicht zu begreifen. Im Gegenteil ist es ja Pflicht, die natürliche Auflösung getrost zu erwarten und über ihren Verzug sich nicht zu beklagen, sondern mit folgendem allein sich zu beruhigen: Erstens, es kann mir nichts begegnen, was nicht der Natur des Ganzen gemäß wäre, und dann, von mir selbst hängt es ab, meinem Gott und Genius nichts zuwider zu tun; denn niemand kann mich zwingen, ihm zuwider zu handeln.

11.

Wozu wende ich denn jetzt meine Seele an? So mußt du dich bei jeder Gelegenheit selbst fragen und dann weiter forschen: Was geht jetzt in dem Teilchen meines Wesens vor, das man ja das gebietende nennt, und was für eine Seele habe ich also jetzt? Etwa die eines Kindes oder eines Jünglings oder eines schwachen Weibes? Oder etwa die eines Tyrannen, eines Lasttieres oder eines wilden Tieres?

12.

Den eigentlichen Wert derjenigen Dinge, die dem großen Haufen als Güter erscheinen, kannst du auch daraus abnehmen: Wenn nämlich jemand an Güter denkt, die es in Wahrheit sind, wie Einsicht, Selbstbeherrschung, Gerechtigkeit, Tapferkeit, so wird es ihm, stehen solche Gedanken im Vordergrund, wohl unmöglich sein, noch über jene gleichgültigen Dinge etwas anzuhören; denn für den Guten ziemt sich solches nicht. Denkt er hingegen zuvörderst eben an die Scheingüter des großen Haufens, so wird er aufhorchen und jenes Schlußwort des komischen Dichters[95] als eine treffende Äußerung sich gerne gefallen lassen. Auf diese Art stellt sich auch der große Haufe den Unterschied vor. Denn sonst würde uns jene Scherzrede nicht anstößig und unwürdig vorkommen, wir würden sie vielmehr als einen passenden und witzigen Einfall auf-

---

95 Vielleicht Aristophanes. Siehe Schluß des Abschnittes.

nehmen, wenn sie auf den Reichtum und die Förderungs-
mittel der Üppigkeit und Ehrfurcht angewandt wird.
Gehe nun hin und frage, ob solche Dinge schätzbar und
als Güter zu erachten seien, bei deren Vorstellung man
den passenden Zusatz anbringen könnte, »daß ihr Besit-
zer vor lauter Reichtum nicht ein Räumchen übrig habe,
wo er seine Notdurft verrichten kann«.[96]

13.

Ich bestehe aus einer wirkenden Kraft und einem körperlichen Stoffe.[97] Keines von beiden aber wird in nichts
verschwinden, so wenig als es aus nichts entstanden ist.
Jeder Teil meines Wesens wird also durch Umwandlung
in irgendeinen Teil der Welt versetzt, und dieser wieder
in einen andern Teil derselben und so ins Unendliche fort
umgewandelt werden. Infolge einer solchen Umwandlung bin auch ich entstanden, und ebenso meine Eltern,
und so rückwärts ins Unendliche. Denn nichts hindert
uns, also zu reden, wenn auch der Weltlauf nach fest
begrenzten Zeiträumen[98] gelenkt wird.

14.

Die Vernunft und die Kunst, vernünftig zu leben, sind
Kräfte, die für sich selbst und für ihre Wirkungen ausrei-
chen. Sie gehen von ihrem eigenen Prinzip aus und streben geraden Weges dem ihnen vorliegenden Ziele zu.
Daher heißen auch die ihnen gemäßen Handlungen gerade, weil sie auf den geraden Weg hinweisen.

15.

Dinge, die den Menschen in seiner Eigenschaft als
Mensch nicht angehen, darf man durchaus nicht als

---

96 Eine ähnliche Stelle findet sich in einem Lustspiele des Aristophanes.
97 Seele und Leib.
98 Die Stoiker glaubten, daß in der Welt und Geschichte nach gewissen
Zeiträumen alles sich wiederhole und die Weltveränderungen nach einer
bestimmten Regel beständig wiederkehren.

menschliche Eigentümlichkeit erachten. Sie sind ja keine Erfordernisse des Menschen, auch verheißt sie die menschliche Natur nicht, und ebensowenig vervollkommnen sie die menschliche Natur. Mithin beruht auf ihnen weder die höchste Bestimmung der Menschheit noch das Gut, das die höchste menschliche Bestimmung verwirklicht. Zudem, wenn eines von ihnen den Menschen anginge, so würde es ihm nicht zustehen, sie zu verachten oder gegen sie aufzutreten, und derjenige, der sich so hinstellt, als bedürfe er ihrer nicht, wäre nicht zu loben, und selbst der, der sich eines derselben versagt, würde kein tugendhafter Mensch sein, wofern sie wahre Güter wären. Nun aber ist einer, der sich viele dieser und anderer Dinge der Art versagt oder auch ihre Versagung sich gefallen läßt, ein um so tugendhafterer Mensch.

16.

Nach der Beschaffenheit der Gegenstände, die du dir am häufigsten vorstellst, wird sich auch deine Gesinnung richten; denn von den Gedanken nimmt die Seele ihre Farbe an. Gib ihr also die Färbung durch eine Reihe von Vorstellungen der Art wie: Wo man leben muß, da kann man auch glücklich leben; am Hof aber mußt du leben, mithin kannst du auch am Hof glücklich leben. Ferner: der Grund, warum jedes Ding gebildet ward, ist auch der Zweck, wozu es gebildet ward, und darauf wird es hingetrieben; in dem aber, worauf es hingetrieben wird, liegt auch sein höchstes Ziel. Wo aber das höchste Ziel ist, da ist auch das Wohl und das Gut eines jeglichen. Das Wohl eines vernünftigen Wesens liegt in der menschlichen Gesellschaft. Denn daß wir zur Geselligkeit geboren sind, ist längst schon erwiesen. Oder liegt es nicht auf der Hand, daß die niederen Wesen um der höheren, die höheren aber eines um des anderen willen da sind? Die lebendigen Geschöpfe stehen höher als die leblosen, und unter den beseelten stehen die vernünftigen obenan.

17.

Unmögliche Dinge verlangen ist töricht; unmöglich aber ist es, daß die Lasterhaften anders als lasterhaft handeln.

18.

Keinem Menschen widerfährt etwas, was er nicht seiner Natur nach auch ertragen könnte. Dieselben Unglücksfälle widerfahren einem andern, der, entweder weil er das nicht recht kennt, was ihm widerfährt, oder weil er seine Geistesgröße dabei zeigen will, ruhig und unverletzt bleibt. Ist es nicht entsetzlich, daß Unwissenheit und Eitelkeit stärker sein sollen als Einsicht?

19.

Die Außendinge selbst berühren die Seele auf keinerlei Weise. Sie haben keinen Zugang zu ihr und können die Seele weder umstimmen noch irgendwie bewegen. Sie erteilt sich vielmehr selber allein Stimmung und Bewegung, und nach Maßgabe der Urteile, die sie über ihre eigene Würde fällt, schätzt sie auch die äußeren Gegenstände höher oder niedriger.

20.

In einer Hinsicht ist der Mensch das uns am nächsten stehende Wesen, insofern wir ihm wohltun und ihn ertragen sollen; insofern aber einer mich an Erfüllung meiner Pflichten hindert, wird er für mich zu einem der gleichgültigen Dinge[99] ebensogut wie die Sonne, der Wind oder ein Tier. Diese jedoch können meiner Wirksamkeit hinderlich werden; aber für mein Wollen und meine Gesinnung gibt es keine Hindernisse; denn jenes ist an bedingende Ausnahmen geknüpft, dieser kann ich eine andere Richtung geben. Denn der Verstand wendet und lenkt

---

99 Die Tugend ist das höchste, das einzige Gut, alle anderen Dinge sind für die Stoiker gleichgültig.

jedes Hindernis seiner Wirksamkeit zur Förderung des
Besseren um, und so wird für eine Handlung förderlich,
was dieselbe zuvor hemmen wollte, und was mir im
Wege stand, eröffnet mir dann einen Weg.

21.

Ehre, was in der Welt das Vollkommenste ist; dies ist
aber das Wesen, das alles zu seinem Gebrauche hat und
alles leitet.[100] Ebenso ehre aber auch, was in dir selbst das
Beste ist, und dies ist jenem verwandt. Denn es ist dasjenige an dir, was alles andere zu seinem Gebrauche hat,
und dein Leben wird von diesem regiert.

22.

Was dem Staate[101] nicht schädlich ist, schädigt auch den
Bürger nicht. Bei jeder vermeintlichen Schädigung wende
folgende Regel an: Wird der Staat nicht dadurch geschädigt, so schadet's auch mir nicht; wenn aber der Staat
verletzt wird, so soll ich doch dem Schadensstifter nicht
zürnen.

23.

Denke oft daran, wie schnell alles, was ist und geschieht,
fortgerissen und entrückt wird. Ist ja doch das Wesen der
Dinge in einem steten Flusse, und ihre Wirkungen sind
einem unaufhörlichen Wechsel und deren Ursachen unzähligen Veränderungen unterworfen. Fast nichts hat Bestand, und uns nahe liegt jener gähnende Abgrund der
Vergangenheit und Zukunft, in dem alles verschwindet.
Sollte also der nicht ein Tor sein, der auf diese Dinge
stolz ist oder ihretwegen sich quält oder darüber jammert
als über etwas Beschwerliches, was langwierig und nicht
von nur kurzer Dauer ist?

100 Gott.
101 Die Welt.

24.

Betrachte die ganze Natur, wovon du nur ein winziges
Stücklein bist, und das ganze Zeitmaß, von dem nur ein
kurzer und kleiner Abschnitt dir zugemessen ist, und das
Schicksal, wovon das deinige nur einen Bruchteil bildet.

25.

Es beträgt sich jemand schlecht – das ist seine Sache! Er
hat seine eigentümliche Gesinnung, seine eigentümliche
Art zu handeln. Ich aber habe jetzt, was ich nach dem
Willen der Allnatur haben, und tue, was ich nach dem
Willen meiner Natur tun soll.

26.

Der herrschende und gebietende Teil deines Wesens
bleibe bei leisen oder heftigen Regungen in deinem Flei-
sche unerschüttert. Er mische sich nicht in das Fleisch-
liche, sondern beschränke sich auf sein Gebiet und um-
grenze jene Reizungen in seinen Gliedern. Wenn sie jedoch kraft ihrer anderweitigen Mitteilbarkeit infolge der
Einigung von Geist und Körper in das Denkvermögen
eindringen, dann versuche es nicht, gegen ein natürliches
Gefühl zu kämpfen. Nur den Wahn, als handle es sich
um ein Gut oder um ein Übel, füge der in dir herrschende Teil nicht von sich hinzu.

27.

Lebe in der Gemeinschaft der Götter. Der aber lebt in
Gemeinschaft mit ihnen, der ihnen stets eine Seele zeigt,
die mit dem ihr beschiedenen Lose zufrieden ist und alles
das tut, was der Genius will, den Zeus als einen Sprößling
seines eigenen Wesens ihm zum Vorsteher und Führer
beigegeben hat. Dies ist aber eines jeden Verstand und
Vernunft.

28.

Wirst du wohl einem zürnen, der nach Schweiß riecht,
oder einem, dessen Atem widerlich ist? Was kann er dafür? Er hat nun einmal solch einen Mund und hat solche
Armhöhlungen; es muß also solche Ausdünstung von
derlei Gliedern ausgehen. Aber der Mensch hat Vernunft,
sagt einer, und kann also bei einiger Aufmerksamkeit
wohl einsehen, worin er sich vergeht. Ganz richtig. Mithin hast auch du Vernunft; erwecke also durch deine
vernunftmäßige Stimmung die gleiche Stimmung bei dem
andern. Belehre! Ermahne! Denn wofern er darauf hört,
wirst du ihn heilen und brauchst dann nicht zu zürnen
oder zu klagen oder nachgiebig zu sein.

29.

Wie du am Ende deines Lebenslaufes wünschest gelebt
zu haben, so kannst du jetzt schon leben. Gestattet man
dir aber das nicht, alsdann verlaß das Leben,[102] jedoch so,
als sei dir kein Übel widerfahren. Raucht es irgendwo, so
gehe ich weg. Warum scheint dir das so schwer zu sein?
Solange mich indes nichts der Art vertreibt, bleibe ich
freiwillig da, und niemand soll mich hindern zu tun, was
ich will. Mein Wille aber ist der Natur eines vernünftigen
und geselligen Wesens gemäß.

30.

Der Geist des Weltganzen ist gesellig, deswegen hat er
Wesen von unvollkommener Art um der vollkommene-
ren willen hervorgebracht und die höheren harmonisch
miteinander verbunden. Du siehst ja, wie er alles einander unter- und beigeordnet, jedem nach Maßgabe seines
Wertes das Seinige zugeteilt und die edelsten Wesen zu
gegenseitiger Eintracht aneinandergekettet hat.

102 Vgl. 3,1. Anm. 52.

31.

Wie hast du dich bisher gegen die Götter, deine Eltern,
Geschwister, Gattin, Kinder, Lehrer, Erzieher, Freunde,
Verwandte und Hausgenossen betragen? Kannst du
sagen:

  Niemand hat er durch Taten beleidigt noch auch durch
  Worte –?[103]

Erinnere dich aber auch dessen, was du alles schon
durchgemacht und was alles zu ertragen du Kraft gehabt
hast, daß die Geschichte deines Lebens bereits vollendet
und dein Dienst vollbracht ist. Wieviel Schönes hast du
schon wahrgenommen, wie viele Sinnenfreuden und Leiden verachtet, wie viele eitle Herrlichkeiten übersehen,
gegen wie viele Übelwollende dich wohlwollend erzeigt?

32.

Warum sollten rohe und ungebildete Gemüter ein gebil-
detes und einsichtsvolles Gemüt beunruhigen können?
Was ist aber eine gebildete und einsichtsvolle Seele? Die,
die den Ursprung und das Ziel der Dinge kennt und den
Geist, der die Körperwelt durchdringt und die ganze Zeit
hindurch nach bestimmten Abschnitten das All ver-
waltet.

33.

Wie bald, und du bist Asche und ein Knochengerippe
und nur noch ein Name, oder selbst nicht ein Name
mehr ist übrig! Der Name aber ist bloßer Schall und
Widerhall. Und die geschätztesten Güter des Lebens sind
eitel, modernd, unbedeutend, Hunden gleich, die sich
herumbeißen, und Kindern, die sich zanken, bald lachen
und dann wieder weinen. Treue aber und Scham, Gerechtigkeit und Wahrheitsliebe

  – – zum Olymp der geräumigen Erde entflohen.[104]

103 *Odyssee* 4,690.
104 Aus Hesiod.

Was gibt es also, das dich hier unten zurückhält? Alles Sinnliche ist ja so wandelbar und unbeständig, die Sinne selbst sind aber voll trüber Eindrücke und leicht zu täuschen, und das Seelchen ist selbst nur ein Aufdampfen des Blutes. Und nun unter solchen Menschen berühmt sein – wie nichtig! Warum siehst du also nicht gelassen deinem Erlöschen oder deiner Versetzung entgegen? Bis aber dieser Zeitpunkt sich einstellt, was bleibt übrig? Was anders, als die Götter zu ehren und zu preisen, den Menschen aber wohl zu tun[105] und sie zu dulden oder auch zu meiden und zu bedenken, daß alles, was außerhalb der engen Grenzen deines Fleisches und Geistes liegt, weder dir gehört noch von dir abhängt?

34.

Es liegt in deiner Macht, daß dein Leben glücklich dahinfließt, wenn du nur dem rechten Weg folgen und auf diesem urteilen und handeln willst. Denn der Seele Gottes und des Menschen und überhaupt jedes vernünftigen Geschöpfes sind folgende zwei Eigenschaften gemeinsam: erstens, daß sie sich von nichts anderem hindern läßt, und zweitens, daß ihr Wohl auf einer gerechten Sinnes- und Handlungsweise beruht und ihr Streben sich darauf beschränkt.

35.

Wenn dies oder jenes weder durch eine Schlechtigkeit von mir noch durch eine Wirkung meiner Schlechtigkeit geschieht und auch das Gemeinwesen davon keinen Schaden leidet, warum bin ich darüber unruhig? Und was könnte dann die Ordnung des Universums dabei leiden?

36.

Laß dich nicht von deinen Einbildungen hinreißen, komm anderen nach Vermögen und Verdienst zu Hilfe.

---

105 Also Gottesfurcht und Menschenliebe ist das vornehmste Gebot.

Doch wenn sie in gleichgültigen Dingen einen Verlust
erlitten, so stelle dir darunter nicht sogleich einen wirklichen Nachteil vor; denn das Vorurteil ist ein Übel; sondern wie jener Greis, der seinem Zöglinge einen Kreisel
abforderte und dann weiterging, wohl wissend, daß es
nur ein Kreisel sei,[106] so verfahre du auch hier. Wenn du
aber vor dem Volke auf der Rednerbühne sprichst,
Mensch, vergißt du, was es damit auf sich hat? »Ja, aber
darauf verwendet man eben doch so vielen Fleiß.« Mußt
du also deshalb auch so ein Tor werden? Der Mensch, wo
auch immer verlassen, kann an allen Orten glücklich sein,
glücklich aber ist, wer sich selbst ein glückliches Los
bereitet hat. Das glückliche Los aber besteht in guter
Gemütsstimmung, in guten Neigungen und guten Handlungen.

Sechstes Buch

1.

Der Weltstoff ist fügsam und leicht verwandlungsfähig,
und die alles beherrschende Vernunft hat in sich keine
Veranlassung, Böses zu tun; denn sie ist ohne Bösartigkeit, tut also auch nichts Böses, und nichts wird von ihr
beschädigt; alles aber gestaltet und vollendet sich ihr
gemäß.

2.

Bei Erfüllung deiner Pflicht soll dir nichts darauf ankom-
men, ob du vor Kälte starrst oder vor Hitze glühst, ob du
schläfrig bist oder genug geschlafen hast, ob man dich
tadelt oder lobt, ob du darüber dem Tode nahe kommst
oder etwas anderes der Art zu leiden hast. Auch das

106 Die Menschen grämen sich oft um Dinge, die nicht mehr wert sind
als ein Kreisel, ein Kinderspielzeug.

Sterben ist ja eine von den Aufgaben unseres Lebens. Genug also, wenn du auch sie glücklich lösest, sobald sie dir vorgelegt wird.

3.
Schau jedem Ding auf den Grund. Seine eigentümliche Beschaffenheit so wenig wie sein Wert entgehe deinem Blicke!

4.
Alle Gegenstände der Sinnenwelt verwandeln sich sehr schnell und lösen sich entweder in Rauch auf, wenn die Körperwelt ein Ganzes bleibt, oder werden sonst zerstreut.

5.
Die alles beherrschende Vernunft weiß wohl, in welcher Stellung sie sich befindet und wie und auf welchen Stoff sie wirkt.

6.
Die beste Art, sich an jemand zu rächen, ist die, nicht Böses mit Bösem zu vergelten.

7.
Darin suche deine ganze Freude und Befriedigung, immer Gottes eingedenk von einer gemeinnützigen Tat zu einer andern fortzuschreiten.

8.
Die im Menschen herrschende Vernunft ist es, die sich selbst weckt und lenkt und zu dem macht, was sie ist und sein will, und jedem Vorfall das Aussehen verleiht, das er in ihren Augen haben soll.

9.
Der Natur des Ganzen gemäß geschieht alles und jedes, nicht aber nach irgendeiner andern Natur, die etwa die

Dinge von außen umgibt oder in ihrem Innern einge-
schlossen oder völlig von ihnen getrennt ist.

10.

Die Welt ist entweder ein zufälliges Gemisch von Dingen, die sich bald miteinander verflechten, bald voneinander lösen, oder ein Ganzes, worin Einheit und Ordnung und Vorsehung walten.[107] Ist sie nun das erstere,
warum sollte es mich verlangen, in einem ordnungslosen
Gewirr, in solch einem Gemengsel zu verweilen? Was
könnte mir dann erwünschter sein als einst wieder Erde
zu werden?[108] Warum mich auch beunruhigen? Denn
was ich auch tun mag, die Auflösung wird über mich
kommen. Im anderen Falle verehre ich den Allbeherrscher, bin ruhigen Gemütes und vertraue ganz auf ihn.

11.

Solltest du je einmal durch die Gewalt der Umstände in
eine Art von Gemütsunruhe versetzt werden, so kehre
bald zu dir selbst zurück. Laß dich nicht über Gebühr
aus dem Takte bringen. Denn wofern du stets wieder zu
einer harmonischen Stimmung der Seele zurückkehrst,
wirst du ihrer immer mächtiger werden.

12.

Wenn du zugleich eine Stiefmutter und eine leibliche
Mutter hättest, so würdest du zwar jene ehren, aber doch
bei deiner rechten Mutter beständig deine Zuflucht suchen. Ebenso steht es bei dir mit dem Hofe und mit der
Philosophie. Weile immer wieder bei der letzteren und
erhole dich bei ihr. Um ihretwillen wird dir auch das
dortige Leben erträglich und du selbst an deinem Hofe
erträglich werden.

107 Marc Aurel selbst stand auf Seite derjenigen, die glaubten, daß die
Welt durch Gottes Vorsehung regiert werde.
108 *Ilias* 7,99: Aber o möget ihr all' zu Wasser und Erd' wieder werden!

13.

Gleichwie man bei Fleischgerichten und anderen Eß-
waren der Art denken soll: das ist also der Leichnam
eines Fisches, das der Leichnam eines Vogels oder eines
Schweines, und hinwiederum beim Falernerwein: er ist
nichts als der ausgedrückte Saft einer Traube; oder beim
Purpur: er ist nur Schafswolle, in das Blut einer Schnecke
getaucht; und beim geschlechtlichen Umgang: er ist die
Reibung eines Eingeweides und Ausscheidung von
Schleim, mit Zuckungen verbunden; solche Vorstellungen sind nämlich den Gegenständen wirklich ganz entsprechend und durchdringen ihr Wesen, so daß man
sieht, was eigentlich an ihnen sei: ebenso nun muß man's
im ganzen Leben machen, und wo einem Dinge in noch
so beifallswürdiger Gestalt vorgespiegelt werden, sie ent-
larven, ihren Unwert sich anschaulich machen und ihnen
die schimmernde Einkleidung, womit sie sich brüsten,
nehmen. Denn der Schein ist ein furchtbarer Betrüger,
und gerade wenn man glaubt, sich mit den allerbedeu-
tendsten Dingen zu beschäftigen, bezaubert er am meisten. Denke daran, was Krates selbst von einem Xenokrates[109] sagte.

14.

Das meiste von dem, was die Menge bewundert, gehört
zu den allergewöhnlichsten Dingen der Welt: Gegenstände von festem und natürlichem Zusammenhalt; dahin gehören Steine und Holzarten, wie Feigenbäume,
Weinstöcke, Ölbäume. Andere, schon von etwas höhe-
rem Sinne, lieben beseelte Gegenstände, wie Herden von
Klein- und Großvieh. Leute von noch höherer Bildung
schätzen Wesen, die eine gebildete Seele haben, nicht so-

---

109 Xenokrates, Schüler des Plato und später sein Nachfolger in der
Akademie. Er setzte die Glückseligkeit in den Besitz der Tugend. Ob-
wohl er wegen seiner Rechtlichkeit in hohem Ansehen stand, wurde er
doch vom Zyniker Krates angefeindet, der ihn des Hochmuts und der
Verstellung beschuldigte.

wohl eine weltbürgerliche, als vielmehr eine zu Künsten
aufgelegte oder sonstwie gewandte Seele. Leute dieser
Art legen oft einen hohen Wert auf den Besitz einer
Menge von Sklaven. Wer aber eine vernünftige, welt- und
staatsbürgerliche Seele hochachtet, der hat kein anderes
Interesse mehr; dagegen sucht er seine eigene Seele in
vernünftiger und gemeinnütziger Verfassung und Tätigkeit zu erhalten und hierzu auch den Mitgenossen seines
Geschlechts behilflich zu sein.

15.

Jenes eilt ins Dasein, dieses aus dem Dasein, und von
dem, was im Werden begriffen ist, ist manches bereits
wieder verschwunden. Eine unaufhörliche Flut von Veränderungen erneuert stets die Welt, so wie der ununter-
brochene Lauf der Zeit uns immer wieder eine neue un-
begrenzte Dauer in Aussicht stellt. Wer möchte nun in
diesem Strome, wo man keinen festen Fuß fassen kann,
irgendeines von den vorübereilenden Dingen besonders
wertschätzen? Das wäre gerade so, als wenn sich jemand
in einen vorüberfliegenden Sperling verlieben wollte, der
ihm in einem Augenblicke wieder aus den Augen ent-
schwunden ist. Ist doch selbst jegliches Menschenleben
von ähnlicher Art, nichts anderes als das Aufdampfen
von Blut und das Einatmen der Luft. Denn ganz dasselbe
ist es, die Luft einmal einzuziehen und sie dann wieder
von sich zu geben, was wir alle Augenblicke tun, oder
dein ganzes Atmungsvermögen, das du gestern oder vor
kurzem mit deiner Geburt bekamst, wieder dahin zu-
rückzugeben, von wo du es anfänglich an dich gezogen
hast.

16.

Nicht das ist der Beachtung wert, daß wir ausatmen,
denn das haben wir mit den Pflanzen gemein, oder Atem
holen, denn das tun auch die Tiere, ebensowenig, daß wir

durch unser Vorstellungsvermögen Eindrücke von der
Außenwelt bekommen oder durch unsere Triebe in Bewegung gesetzt werden, uns zusammengesellen und
Nahrung in uns aufnehmen; denn dies ist von gleichem
Belang wie das Wiederausscheiden der verdauten Nah-
rungsmittel. Was ist denn nun der Beachtung wert?
Etwa, daß man uns mit den Händen Beifall klatscht?
Keineswegs. Mithin auch nicht die Beifallsbezeigungen
mit der Zunge. Denn die Lobeserhebungen von seiten
des großen Haufens sind doch nichts anderes als ein Zun-
gengeklatsch. Laß also dein bißchen Ruhm fahren. Was
bleibt aber wirklich Achtungswürdiges übrig? Mich
dünkt dieses: deiner eigentümlichen Naturanlage gemäß
dich zu rühren und an dich zu halten. Und darauf leiten
auch die Gewerbe und die Künste hin. Denn jede Kunst
hat das Ziel im Auge, ihr Erzeugnis dem Zwecke anzu-
passen, zu dessen Behuf es hervorgebracht worden ist.
Dies beabsichtigt der Gärtner, indem er den Weinstock
pflegt, dies der Rossebändiger und der Hundewärter. Erziehung aber und Unterricht der Jugend, worauf zielen
diese hin? Hier liegt also das Achtungswürdige. Bist du
von dieser Wahrheit überzeugt, so wirst du dir um andere Dinge keine Sorge machen, und warum willst du
nicht aufhören, so viele andere Dinge hochzuachten? Dadurch kannst du eben kein freier, selbstgenügsamer, lei-
denschaftsloser Mensch sein. Denn so *mußt* du gegen
diejenigen neidisch, eifersüchtig, argwöhnisch werden,
die dir jene Dinge entziehen können, und denen nach-
stellen, die das von dir Hochgeachtete besitzen. Überhaupt muß der, dem etwas davon fehlt, in Verwirrung
geraten und zudem die Götter tadeln. Dagegen wird die
Ehrerbietung und Hochachtung gegen deine eigene denkende Seele dich mit dir selbst zufrieden, deinen Nebenmenschen wohlgefällig und mit den Göttern einträchtig
machen, das heißt, du wirst alles, was ihnen gefällt, dir
zuzuschicken, mit Dank annehmen.

17.

Aufwärts, niederwärts, im Kreislauf bewegen sich die Grundstoffe.[110] Die Bewegung der Tugend aber geht nach keiner von diesen Richtungen; sie ist vielmehr etwas Göttlicheres und schreitet auf guter, wenn auch schwer zu begreifender Bahn vorwärts zum Ziele.

18.

Wie lächerlich doch die Menschen verfahren! Ihren Zeitgenossen, mit denen sie zusammenleben, verweigern sie das Lob, sie selbst aber schlagen das Lob von seiten der Nachkommen hoch an. Diese sollen alsdann rühmen, was sie weder kennen noch gesehen haben. Das ist aber fast ebenso, als wenn jemand sich darüber betrüben wollte, daß auch die Vorfahren auf ihn keine Lobreden gehalten haben.

19.

Denke nicht, wenn etwas dir schwer ankommt, daß es nicht menschenmöglich sei. Vielmehr, wenn etwas für einen Menschen möglich und seiner Natur angemessen ist, so glaube, es sei auch für dich erreichbar.

20.

Beim Turnen ritzt uns wohl einmal jemand mit dem Nagel, bringt uns auch wohl durch einen Stoß am Kopf eine Beule bei; aber wir äußern deshalb kein Mißfallen, werden auch nicht ärgerlich noch für die Zukunft argwöhnisch gegen ihn, als trachte er uns nach dem Leben. Doch nehmen wir uns vor ihm in acht, aber nicht als vor einem Feinde oder einem verdächtigen Menschen, sondern wir gehen ihm nur gelassen aus dem Wege. Ebenso benimm dich denn auch in den übrigen Verhältnissen deines Le-

---

110 Des Menschen Seele gleicht dem Wasser: vom Himmel kommt es, zum Himmel steigt es, und wieder nieder zur Erde muß es, ewig wechselnd. (Goethe.)

bens und laß uns über vieles bei denen hinwegsehen, die
sozusagen mit uns turnen; denn, wie gesagt, es steht dir
frei, ohne Argwohn und Groll gewisse Leute zu meiden.

21.

Kann mir jemand überzeugend dartun, daß ich nicht
richtig urteile oder verfahre, so will ich's mit Freuden
anders machen. Suche ich ja nur die Wahrheit, sie, von
der niemand je Schaden erlitten hat. Wohl aber erleidet
derjenige Schaden, der auf seinem Irrtum und auf seiner
Unwissenheit beharrt.

22.

Ich tue meine Pflicht, alles übrige kümmert mich nicht;
denn dies ist entweder unbeseelt oder vernunftlos oder
verirrt und des Wegs nicht kundig.

23.

Die vernunftlosen Tiere und überhaupt alle Sinnenwesen,
die keine Vernunft haben, behandle als vernünftiger
Mensch hochherzig und edel, die Menschen aber, weil sie
Vernunft haben, behandle mit geselliger Liebe; bei allem
aber rufe die Götter an. Übrigens kümmere dich nicht
darum, wie lange du noch dies tun wirst: denn selbst drei
solcher Stunden sind hinreichend.

24.

Alexander von Mazedonien und sein Maultiertreiber haben nach ihrem Tode dasselbe Schicksal erfahren. Denn
entweder wurden sie in dieselben Lebenskeime der Welt
aufgenommen oder der eine wie der andere unter die
Atome zerstreut.

25.

Bedenke, wieviel bei einem jeden von uns in einem und
demselben Augenblicke vorgeht, Leibliches zugleich und

Geistiges. Dann wirst du dich nicht wundern, daß noch viel mehr, ja daß alles, was da ist, in der *einen* Gesamtheit, die wir die Welt nennen, zugleich sein Dasein hat.

26.

Wenn dir jemand die Frage vorlegte, wie der Name Antoninus geschrieben wird, würdest du nicht jeden einzelnen Buchstaben mit gehobener Stimme hervorstoßen? Wie nun, wenn man dich darüber zornig anführe, würdest du etwa wieder zürnen? Oder würdest du nicht vielmehr die einzelnen Buchstaben sofort gelassen einen nach dem andern nennen? So bedenke denn nun auch, daß sich jede Pflicht aus einzelnen Gemessenheiten zusammensetzt. Diese mußt du folglich auch einhalten und fern von Beunruhigung und Erbitterung wider Erbitterte das, was dir obliegt, auf dem rechten Wege vollbringen.

27.

Wie grausam ist es doch, den Menschen nicht zu gestatten, nach dem zu streben, was ihnen angemessen und zuträglich erscheint! Und doch gestattest du ihnen gewissermaßen nicht, dies zu tun, wenn du über ihre Vergehungen ungehalten bist. Denn sie lassen sich ja überall durch den Schein des für sie Angemessenen und Zuträglichen dazu fortreißen. Du sprichst: Sie betrügen sich. So belehre sie und zeige es ihnen, ohne über sie ungehalten zu sein.

28.

Der Tod ist das Ende von den Widersprüchen der sinnlichen Wahrnehmungen, von den Aufregungen der Triebe, von den fortwährenden Arbeiten der Denkkraft und von der Dienstbarkeit gegen das Fleisch.

29.

Schändlich ist es, wenn deine Seele schon ermüdet, ohne daß der Leib schon müde ist.

30.

Hüte dich, daß du nicht ein tyrannischer Kaiser wirst! Nimm einen solchen Anstrich nicht an, denn es geschieht so leicht. Erhalte dich also einfach, gut, lauter, ernsthaft, prunklos, gerechtigkeitsliebend, gottesfürchtig, wohlwollend, liebreich und standhaft in Erfüllung deiner Pflichten. Ringe danach, daß du der Mann bleibest, zu dem dich die Philosophie bilden wollte. Ehre die Götter, fördere das Heil der Menschen! Kurz ist das Leben, und es gibt nur eine Frucht des irdischen Daseins: eine unsträfliche Gesinnung und gemeinnützige Werke. Sei in allem ein Schüler Antonins[111], so beharrlich wie er im Gehorsam gegen die Gebote der Vernunft, so gleichmütig in allen Stücken, so unsträflich und so heiter in deiner Miene, so freundlich und frei von eitler Ruhmbegierde, so eifrig bemüht um die Erkenntnis der Dinge! Wie ließ er doch nirgends etwas an sich vorübergehen, ohne es zuvor recht genau betrachtet und reiflich erwogen zu haben! Und wie geduldig ertrug er seine ungerechten Tadler, ohne sie wieder zu tadeln! Wie übereilte er nichts, wie gab er keiner Verleumdung Gehör, und wie sorgfältig beobachtete er seine Sinnesart und seine Handlungen! Wie fern war er von Schmähsucht, Ängstlichkeit, argwöhnischem und klügelndem Wesen! Mit wie wenigem war er zufrieden, zum Beispiel in Wohnung, Nachtlager, Kleidung, Nahrung, Dienerschaft. Wie arbeitsam und langmütig war er! So war er auch bei seiner einfachen Lebensweise imstande, es bis zum Abend auszuhalten, ohne das Bedürfnis der Entleerung anders als um die gewöhnliche Stunde zu verspüren. In seinen freundschaftlichen Verbindungen treu und sich immer gleich bleibend, duldsam gegen die, die seinen Ansichten freimütig entgegentraten, und sogar erfreut, wenn jemand ihn eines Besseren belehrte, gottesfürchtig ohne Aberglauben – so war er. Möchtest doch auch du, wie er, der letzten Stunde mit so gutem Gewissen entgegensehen!

111 Antoninus Pius. Vgl. 1,16.

31.

Wache auf und komm wieder zu dir selbst! Und wie du beim Wiedererwachen erkannt hast, daß es nur Träume waren, die dich beunruhigten, so sieh auch im wachenden Zustande die Unannehmlichkeiten als Träume an.

32.

Ich bestehe aus Leib und Seele. Für den Körper ist alles gleichgültig; denn er ist unfähig, Unterschiede wahrzunehmen. Für meine Seele ist auch alles gleichgültig, was nicht eine Wirkung von ihr ist. Ihre eigenen Wirkungen aber hängen lediglich von ihr selbst ab. Dies ist jedoch bloß von denen zu verstehen, die sich auf den gegenwärtigen Augenblick beziehen; denn ihre künftigen und vergangenen Wirkungen sind für sie gleichfalls bereits gleichgültig.

33.

Keine Verrichtung der Hand oder des Fußes ist widernatürlich, solange der Fuß die Funktion des Fußes und die Hand die der Hand verrichtet. So ist mithin für den Menschen als solchen keine Bemühung widernatürlich, solange er die Funktion des Menschen verrichtet. Widerstreitet sie aber seiner Natur nicht, so ist sie für ihn auch kein Übel.

34.

Wie viele Sinnesfreuden haben nicht Räuber, Unzüchtige, Vatermörder, Tyrannen genossen?[112]

35.

Siehst du nicht, wie die Künstler sich bis auf einen gewissen Grad nach dem Geschmack der Ungebildeten richten, jedoch nichtsdestoweniger an den Vorschriften ihrer

112 Sinnesfreuden und Reichtum sind also kein wahres Gut, weil auch Böse sie genießen können.

Kunst festhalten und von diesen sich nicht abbringen lassen? Ist es nicht schmachvoll, daß der Baukünstler und der Arzt vor den Gesetzen seiner Kunst mehr Achtung hat als der Mensch vor den Gesetzen seiner Vernunft, die er doch mit den Göttern gemein hat?

36.

Asien, Europa – Winkel der Welt; der ganze Ozean – ein Tropfen des Alls! Der Athos[113] – ein winziger Erdhaufen des Weltganzen; die ganze Gegenwart – ein Augenblick der Ewigkeit! Alles klein, veränderlich, verschwindend! Alles hat einerlei Ursprung, von demselben gemeinsamen Allbeherrscher unmittelbar oder infolge seiner Wirksamkeit herrührend. Also sind auch der Rachen des Löwen, das Gift, alles Schädliche, wie Dornen und Sümpfe, ein Zubehör der prachtvollen und schönen Welt. Fort also mit dem Wahne, als stünden sie mit dem Wesen, das du verehrst, in keiner Verbindung, beachte vielmehr die wahre Quelle aller Dinge.

37.

Wer das jetzt Vorhandene gesehen hat, der hat alles überschaut, was von jeher war und was in alle Ewigkeit sein wird. Denn alles ist von derselben Natur und Form.

38.

Bedenke oft die Verkettung aller Dinge in der Welt und ihr Verhältnis zueinander. Gewissermaßen sind sie ja alle miteinander verflochten und insofern alle untereinander verwandt. Denn das eine folgt aus dem andern, und zwar kraft des örtlichen Zusammenwirkens, der Übereinstimmung und der Einheit der Körperwelt.

39.

Füge dich in die Umstände, in die du durch dein Los versetzt bist, und den Menschen, mit denen das Schicksal

113 Ein großer Berg in Mazedonien.

dich zusammengeführt hat, erweise Liebe, aber aufrichtig.

40.

Jede Maschine, jedes Werkzeug, kurz jedes Gerät ist in
gutem Zustande, wenn es leistet, wozu es gebildet worden ist, und doch ist hier der Bildner vielleicht ferne. Bei
den Gegenständen aber, die die Natur umfaßt, ist und
verbleibt die bildende Kraft im Innern. Sie sollst du demnach um so mehr verehren und dabei bedenken, daß,
wenn du nur nach ihrem Willen beständig lebst, auch
alles nach deinem Sinne sich richten wird. Denn so richtet sich auch im Universum alles nach der Seele der Welt.

41.

Wenn du irgendeines von den Dingen, die nicht in deiner
Willkür stehen, als ein Gut oder als ein Übel ansiehst, so
mußt du notwendig, wenn ein solches Übel dich trifft
oder ein solches Gut ausbleibt, über die Götter murren
und die Menschen hassen, die schuld daran sind oder
nach deinem Argwohn am Ausbleiben oder Eintreffen in
Zukunft schuld sein sollen; und so begehen wir manche
Ungerechtigkeit, weil uns diese Dinge nicht gleichgültig
sind. Wenn wir hingegen bloß die von uns abhängigen
Dinge für Güter oder Übel erklären, so bleibt kein
Grund übrig, die Gottheit anzuklagen oder gegen irgendeinen Menschen eine feindliche Gesinnung zu
hegen.

42.

Wir alle wirken zusammen auf *ein* Ziel hin, die einen mit
Bewußtsein und Einsicht, die anderen unbewußterweise.
Ja sogar die Schlafenden sind, wie, glaube ich, Heraklit
sagt, Arbeiter und Mitarbeiter an dem, was in der Welt
geschieht. Jeder aber arbeitet auf andere Art mit, selbst
der Tadler wirkt viel, der dem, was geschieht, entgegen-

zutreten und es, wenn möglich, zu beseitigen sucht.
Denn auch eines solchen Menschen bedurfte die Welt.
Siehe du nun übrigens zu, welchen du dich anschließen
willst. Zwar wird der Beherrscher des Alls dich auf jeden
Fall zweckentsprechend zu verwenden wissen und dich
als ein Glied unter die Zahl der Mitarbeiter und Gehilfen
aufnehmen. Du aber hüte dich, daß du kein solches Glied
darunter werdest wie jener bedeutungslose und lächer-
liche Vers in der Komödie, von dem Chrysipp gesprochen hat.[114]

43.

Verlangt etwa die Sonne die Dienste des Regens, Äsku-
lap[115] die Dienste der Fruchtspenderin zu leisten? Und –
wirken die Gestirne nicht allesamt, trotz ihrer Verschie-
denheit, auf *ein* Ziel hin?[116]

44.

Wenn die Götter über mich und über das, was mir begegnen soll, etwas beschlossen haben, so bin ich versichert,
sie haben mein Bestes beschlossen, denn ein Gott ohne
Weisheit ist nicht leicht denkbar; und dann, aus welchem
Grunde sollten sie mir wehtun wollen? Denn was könnte
für sie oder das Ganze, wofür sie doch vorzüglich Sorge
tragen, dabei herauskommen? Haben sie aber nicht über
mich insbesondere, so haben sie doch wenigstens über
das Ganze im allgemeinen etwas beschlossen, und ich
muß daher auch mein daraus sich ergebendes Schicksal
willkommen heißen und liebgewinnen. Fassen sie aber
etwa über gar nichts Beschlüsse – was zu glauben freilich
gottlos wäre –, wozu dann unsere Opfer, unsere Gebete,

---

114 Chrysipp meinte, die Laster in der Welt seien mit den lächerlichen
Stellen in einer Komödie zu vergleichen, die an und für sich keinen Wert
haben, aber doch zum Ganzen gehören.
115 Das Gestirn dieses Namens.
116 So soll jeder Mensch zum gemeinschaftlichen Nutzen arbeiten.

unsere Eidschwüre, wozu die übrigen Handlungen, die wir im Glauben an die Gegenwart und Lebensgemeinschaft der Götter mit uns verrichten? Wenn also selbst, sage ich, die Götter in das, was uns betrifft, nicht eingreifen, nun, so steht's bei mir, über mich selbst etwas zu beschließen, und ich kann das mir Zuträgliche in Erwägung ziehen; zuträglich aber ist jedem Wesen, was seiner Anlage und Natur entspricht. Meine Natur aber ist eine vernünftige und für das Gemeinwesen bestimmte; meine Stadt und mein Vaterland aber ist, insofern ich Antonin heiße, Rom, insofern ich ein Mensch bin, die Welt. Nur das also, was diesen Staaten frommt, ist für mich ein Gut.

45.

Was überall einem jeden widerfährt, das ist dem Ganzen zuträglich. Schon dies wäre hinreichend; doch du wirst bei genauer Beobachtung überall auch das noch finden: was dem einzelnen Menschen zuträglich, ist auch anderen nützlich. Hier ist nämlich der Ausdruck »zuträglich« im allgemeineren Sinne auch von den Mitteldingen[117] zu verstehen.

46.

Wie die Vorstellungen auf dem Amphitheater und an ähnlichen Plätzen als ein ewiges Einerlei für den Zuschauer dir widerstehen und das Gleichförmige derselben ihren Anblick dir überdrüssig macht, so erfährst du das gleiche im ganzen Leben. Denn über und unter dir hat alles dieselbe Natur und denselben Ursprung. Aber bis wie lange noch?

47.

Erwäge beständig, wie viele Menschen aus allen Ständen, aus allerlei Berufsarten und aus allen Völkern bereits ge-

---

117 Die weder ein Gut noch ein Übel sind.

storben sind, und steige in dieser Reihe bis zu einem Philistion, einem Phöbus und Origanion[118] hinunter. Dann gehe zu den anderen Klassen über. Auch wir müssen ja unsere Wohnung dorthin verlegen, wo so viele gewaltige Redner, so viele ehrwürdige Philosophen wie Heraklit, Pythagoras und Sokrates, ferner so viele Helden der Vorzeit, so viele Heerführer und Gewaltherrscher späterer Tage, und außer diesen Eudoxus[119], Hipparch[120], Archimedes[121] und andere scharfsinnige, hochherzige, arbeitslustige, allgewandte, selbstgefällige Geister, ja selbst jene spöttischen Verächter des hinfälligen, kurzdauernden Menschenlebens, wie ein Menippus[122] und so viele andere seiner Art verweilen. Von diesen allen stelle dir vor, daß sie schon längst im Grabe liegen. Was liegt nun für sie Furchtbares darin? Was denn für die, deren Namen überhaupt nicht mehr genannt werden? Da ist eins nur von hohem Werte, das nämlich, der Wahrheit und Gerechtigkeit getreu durchs ganze Leben selbst gegen Lügner und Ungerechte Wohlwollen zu üben.

48.

Willst du dir ein Vergnügen machen, so betrachte die Vorzüge deiner Zeitgenossen, so die Tatkraft des einen, die Bescheidenheit des andern, die Freigebigkeit eines Dritten und so an einem vierten wieder eine andere Tugend. Denn nichts erfreut so sehr wie die Muster der Tugenden, die aus den Handlungen unserer Zeitgenossen uns in reicher Fülle in die Augen fallen. Darum habe sie auch stets vor Augen.

118 Nur zu Marc Aurels Zeiten bekannt.
119 Aus Knidos, bedeutender Astronom, Schüler und Freund Platos. Seine letzten Jahre verlebte er auf dem Gipfel eines hohen Berges, um den gestirnten Himmel immer vor Augen zu haben.
120 Gest. 124 v. Chr. Begründer der wissenschaftlichen Astronomie und mathematischen Geographie.
121 Büßte bei der Eroberung von Syrakus sein Leben ein.
122 Ein berüchtigter Zyniker und Schüler des Diogenes, auch Satiriker.

49.

Bist du etwa ärgerlich, daß du nur soundsoviel und nicht
dreihundert Pfund wiegst? Nun, so sei's auch nicht darüber, daß du nur soundsoviel und nicht noch mehr Jahre
leben sollst! Denn gleichwie du mit dem dir bestimmten
Körpergewicht zufrieden bist, so sei es auch mit der dir
zugemessenen Lebensdauer.

50.

Wir wollen andere zu überzeugen suchen! Jedenfalls tue
auch gegen ihren Willen, was die Gerechtigkeit und Vernunft erheischen. Wenn sich indes jemand mit Gewalt dir
widersetzt, so wende dich der Zufriedenheit und Gemütsruhe zu und benütze jenen Widerstand zur Übung
in einer anderen Tugend. Denke daran, daß du nur
bedingungsweise nach etwas strebest und nicht nach Un-
möglichem trachtest. Nach was also? Eben nach solch
einer Willensbestimmung. Sie gewinnst du, auch wenn
das Ziel, worauf du zuschreitest, unerreicht bleibt.

51.

Der Ehrsüchtige findet sein Gut im Benehmen eines andern gegen ihn, der Wollüstling in seiner eigenen Leidenschaft, der Vernünftige aber in seinen ihm eigentümlichen Handlungen.

52.

Es steht bei dir, über dies und das dir keine Meinung zu
bilden und so deiner Seele alle Unruhe zu ersparen. Denn
die Dinge selbst können ihrer Natur nach uns keine Urteile abnötigen.

53.

Gewöhne dich auf die Rede eines andern genau zu achten
und versetze dich soviel wie möglich in die Seele des
Redenden.

54.

Was dem ganzen Bienenschwarme nicht zuträglich ist, das ist auch der Biene nicht zuträglich.[123]

55.

Wollten die Schiffsleute den Steuermann, die Kranken den Arzt schmähen, würden sie da sonst noch auf jemand achten? Oder wie sollte da jener den Eingeschifften die glückliche Landung oder dieser seinen Kranken die Gesundheit verschaffen?

56.

Wie viele, die mit mir zugleich in die Welt gekommen, sind bereits wieder daraus geschieden.

57.

Gelbsüchtige finden den Honig bitter, die von einem tollen Hunde gebissen werden, scheuen das Wasser, Kindern gefällt ein Ball am besten. Was ereiferst du dich also? Oder meinst du, daß der Irrtum weniger Einfluß habe als die Galle beim Gelbsüchtigen oder das Gift beim Wasserscheuen?

58.

Dem Gesetze *deiner* Natur gemäß zu leben, kann niemand dich hindern; dem Gesetze der *gemeinsamen* Natur zuwider kann nichts dir widerfahren.

59.

Wer sind die, denen man gefallen möchte, und um welcher Vorteile willen und durch welcherlei Mittel? Wie schnell wird die Zeit alles verschlingen, und wie vieles hat sie bereits verschlungen!

---

123 D. h. was dem Ganzen nicht zuträglich ist, ist es auch nicht dem einzelnen.

Siebentes Buch

1.

Was ist Schlechtigkeit? Nichts anderes, als was du schon oft gesehen hast. Und so denke denn bei jedem Begegnis sogleich: Es ist nur etwas, was du schon oft gesehen hast. Dann wirst du finden, daß alles, wovon die Jahrbücher der alten, mittleren und neueren Geschichte und wovon auch jetzt noch Staaten und Familien voll sind, in jeglicher Hinsicht ganz das nämliche ist. Nichts Neues; alles gewöhnlich und kurz dauernd.

2.

Wie wäre es möglich, Vorurteile zu ertöten, wenn die Gedanken, die dieselben hervorbringen, nicht ausgerottet werden, deren beständige Wiederbelebung von dir abhängt? Ich kann über eine Sache so urteilen, wie ich soll; kann ich's aber, wozu dann meine Unruhe? Was außerhalb meiner Denkkraft liegt, darf meine denkende Seele nicht berühren. Fühle das, und du stehst fest da. Von dir selbst hängt es ab, ein neues Leben zu beginnen. Betrachte nur die Dinge von einer andern Seite, als du sie bisher ansahst. Denn das heißt eben: ein neues Leben beginnen.

3.

Eitle Prachtliebe, Bühnenspiele, Herden von Klein- und Großvieh, Fechterspiele – ein Knochen unter die Hunde, ein Brocken in einen Fischbehälter geworfen, die mühsame Lastträgerei der Ameisen, das Hin- und Herlaufen erschrockener Mäuse, Gliederpuppen an einem Draht herumgezerrt. Mitten in diesem Getriebe nun muß man freundlich und leidenschaftslos dastehen und erkennen, daß jeder Mensch denselben Wert hat wie die Gegenstände seiner Bemühungen.

4.

Beim Reden muß man achthaben auf die Ausdrücke und bei den Handlungen auf die Erfolge. Bei letzteren muß man sogleich zusehen, auf welchen Zweck sie hinzielen, und in Rücksicht auf das erstere prüfen, welches der Sinn der Worte ist.

5.

Reicht mein Verstand zu diesem Geschäft hin oder nicht? Reicht er hin, so verwende ich ihn dazu als ein von der Allnatur mir verliehenes Werkzeug. Im entgegengesetzten Falle überlasse ich das Werk dem, der es besser ausrichten kann, wenn anders es nicht zu meinen Pflichten gehört, oder ich vollbringe es, so gut ich's vermag, und nehme dabei einen andern zu Hilfe, der, von meiner Geisteskraft unterstützt, vollbringen kann, was dem Gemeinwohl gerade jetzt dienlich und zuträglich ist. Denn was ich auf meine eigene Kraft beschränkt oder mit Hilfe eines andern zustande bringe, soll immer nur das Gemeinnützliche und Ersprießliche zum Ziele haben.

6.

Wie viele Hochgepriesene sind bereits der Vergessenheit anheimgefallen! Und wie viele, die das Loblied jener angestimmt haben, sind schon längst nicht mehr da!

7.

Schäme dich nicht, dir helfen zu lassen. Denn dir ist, wie dem Krieger beim Sturmlaufen, nur vorgeschrieben, deine Pflicht zu tun. Wie nun, wenn du deines lahmen Fußes wegen nicht allein imstande bist, die Schanze zu ersteigen, dies aber mit Hilfe eines andern dir möglich wäre?

8.

Sorge nicht für die Zukunft! Wirst du sie ja doch, wenn es sein soll, einmal erreichen, mit derselben Vernunft ausgerüstet, die dir jetzt in der Gegenwart Dienste leistet.

9.

Alles ist wie durch ein heiliges Band miteinander verflochten. Nahezu nichts ist sich fremd. Alles Geschaffene ist einander beigeordnet und zielt auf die Harmonie derselben Welt. Aus allem zusammengesetzt ist *eine* Welt vorhanden, *ein* Gott, alles durchdringend, *ein* Körperstoff, *ein* Gesetz, *eine* Vernunft, allen vernünftigen Wesen gemein, und *eine* Wahrheit, sowie es auch *eine* Vollkommenheit für all diese verwandten, derselben Vernunft teilhaftigen Wesen gibt.

10.

Alles Körperliche verschwindet gar bald im Urstoff des Ganzen, und jede wirkende Kraft wird gar bald in die Urvernunft des Ganzen aufgenommen. Aber ebenso schnell findet die Erinnerung an alles ihr Grab im ewigen Zeitenlaufe.

11.

Bei einem vernünftigen Geschöpfe ist eine naturgemäße Handlungsweise immer auch eine vernunftgemäße.

12.

Man muß von selbst aufrecht stehen, ohne erst aufrecht gehalten zu werden.[124]

13.

Wie bei einem vereinten Körperganzen die einzelnen Glieder, so verhalten sich trotz ihrer Trennung die ein-

124 Vgl. 3,5.

zelnen vernunftbegabten Wesen zueinander. Auch sie
sind zum Zusammenwirken eingerichtet. Diese Erwägung wird um so größeren Eindruck auf dich machen,
wenn du oft zu dir selbst sagst: Ich bin ein Glied der
Gesamtheit von Vernunftwesen. Sagst du aber, daß du es
nur zum Teil bist, so liebst du die Menschen noch nicht
von Herzen, so erfreut dich das Wohltun noch nicht aus
reiner Überzeugung. Du übst es bloß als etwas, was sich
geziemt, nicht aber für dich selbst eine Wohltat ist.[125]

14.

Mag den Teilen, die den äußeren Zufällen unterworfen
sind, von außen her zustoßen, was da will, diese leidenden Teile mögen, wenn sie wollen, sich darüber beschweren; ich jedoch habe, solange ich das Begegnis nicht für
ein Übel halte, noch nicht dabei gelitten; und es nicht
dafür zu halten, steht ja ganz bei mir.

15.

Möge jemand tun oder sagen, was er will, mir gebührt es
jedenfalls, rechtschaffen zu sein; ebenso wie wenn das
Gold oder der Smaragd stets sagen würden: Tue oder
sage einer, was er will, ich werde doch ein Smaragd bleiben und meine Farbe behalten.

16.

Die gebietende Vernunft bereitet sich selbst keine Unruhe, sie stürzt sich zum Beispiel nicht selbst in Furcht
oder Schmerz; will aber ein anderer ihr Furcht oder
Traurigkeit einflößen, so mag er's tun; sie selbst wird sich
durch ihr Urteil in keine solche Gemütsbewegungen versetzen. Daß aber der Körper nichts leide, dafür mag er
sorgen, wenn er kann, und es sagen, wenn er leidet. Die
Seele aber, der eigentliche Sitz der Furcht, der Traurig-

125 Wer das gemeine Beste sucht, fördert dadurch sein eigenes.

keit und der dahin einschlagenden Vorstellungen, wird wohl nicht, wenn sie sich nicht selbst zu derlei Urteilen verführt, leiden. Denn die herrschende Vernunft ist an und für sich bedürfnislos, wenn sie sich selbst keine Bedürfnisse schafft; eben deshalb kennt sie auch weder Unruhe noch Hindernis, wenn sie es sich nicht selbst verursacht.

17.

Glücklich sein heißt, einen guten Genius haben oder gut sein. Was machst du also hier, Einbildung? Geh, um der Götter willen, wie du gekommen bist, denn ich brauche dich nicht. Du bist gekommen nach deiner alten Gewohnheit. Ich zürne dir deswegen nicht; nur geh bald fort.

18.

Mancher fürchtet sich vor der Verwandlung. Was kann denn ohne Verwandlung werden? Was ist demnach der Allnatur lieber oder angemessener? Kannst du selbst auch nur ein Bad gebrauchen, ohne daß das Holz sich verändere, oder Nahrung genießen, ohne daß die Speisen sich verwandeln? Oder kann sonst etwas Nützliches ohne Verwandlung zur Vollkommenheit gebracht werden? Siehst du es also nicht ein, daß es mit deiner eigenen Verwandlung[126] die gleiche Bewandtnis habe und daß sie für die Allnatur gleichfalls notwendig sei?

19.

Alle Körper nehmen durch das Weltall, wie auf einem reißenden Strom, ihren Lauf und sind, wie die Glieder unseres Leibes untereinander, so mit jenem Ganzen innig verbunden und zusammenwirkend. Wie manchen Chrysipp, wie manchen Sokrates, wie manchen Epiktet hat

126 D. h. Auflösung im Tod.

schon der Zeitenlauf verschlungen! Dieser Gedanke sei dir beim Anblick jedes Menschen und jedes Gegenstandes gegenwärtig.

20.

Mein einziges Bestreben sei nur, daß ich für meine Person nichts tue, was die Naturanlage des Menschen überhaupt nicht will oder so nicht will oder gerade jetzt nicht will.

21.

Bald wirst du alles vergessen haben, und bald wirst auch du bei allen in Vergessenheit sein.

22.

Es ist ein Vorzug des Menschen, auch diejenigen zu lieben, die ihn beleidigen.[127] Dahin gelangt man, wenn man bedenkt, daß die Menschen mit uns *eines* Geschlechtes sind, daß sie aus Unwissenheit und gegen ihren Willen fehlen, daß ihr beide nach kurzer Zeit tot sein werdet, und vor allem, daß dein Widersacher dich nicht beschädigt hat. Denn er hat die in dir herrschende Vernunft doch nicht anders gemacht, als sie zuvor war.

23.

Die Allnatur bildet aus der körperlichen Gesamtmasse, wie der Künstler aus Wachs, bald ein Pferd, bald schmilzt sie es wieder ein und verwendet denselben Stoff mit zur Hervorbringung eines Baumes, dann eines Kindes, dann wieder eines andern Wesens. Jedes derselben hat jedoch nur auf sehr kurze Zeit Bestand. Einem Kistchen aber ist es doch wohl ebenso gleichgültig, zusammengenagelt als wieder auseinandergenommen zu werden.

127 Wir sehen auch hier wieder, daß viele stoische Lehren an das Christentum erinnern. Ein Heide hält die Feindesliebe für eine Pflicht der Humanität.

24.

Ein zorniges Gesicht ist etwas ganz Widernatürliches;
wenn die Sanftmut im Innern erstirbt, erlischt auch die
freundliche Miene ganz, so daß sie gar nicht wieder auf-
geheitert werden kann. Schon dadurch finde ich es begreiflich, daß der Zorn gegen die Vernunft ist. Denn ist
für uns sogar das Bewußtsein unserer Fehltritte verlorengegangen, was haben wir dann noch für einen Grund,
länger zu leben?

25.

Alles, was du siehst, wird die allwaltende Natur bald
verwandeln und aus diesem Stoff andere Dinge schaffen
und aus deren Stoff wiederum andere, damit die Welt
immer verjüngt werde.

26.

Hat sich jemand in etwas gegen dich vergangen, so erwäge sogleich, welche Ansicht über Gut und Böse ihn zu
diesem Vergehen bestimmt hat. Denn sobald dir dies klar
ist, wirst du gegen ihn nur Mitleid fühlen, aber dich weder verwundern noch zürnen. Denn entweder hast du
über das Gute und über das Böse dieselbe Ansicht wie er
oder doch eine ähnliche, und dann mußt du verzeihen,
oder du hast über das Gute und Böse nicht diese Ansichten, und in diesem Falle wird dir Wohlwollen gegen den
Irrenden um so leichter sein.

27.

Denke nicht an den notwendigen Besitz der dir fehlenden Güter, vielmehr an das, was jetzt noch für dich da ist,
und wähle dir unter den vorhandenen Gütern die schätz-
barsten aus und erinnere dich, welche Anstrengungen du
ihrethalben machen würdest, um sie zu erlangen, wenn
sie dir fehlten. Jedoch hüte dich zugleich, daß dieses
Wohlgefallen daran dich nicht an ihre Überschätzung ge-

wöhne; denn sonst müßte ihr einstiger Verlust dich nur
beunruhigen.

28.

Ziehe dich in dich selbst zurück. Die in uns herrschende
Vernunft ist ja von der Natur, daß sie im Rechttun Heiterkeit und Selbstzufriedenheit findet.

29.

Mache den Einbildungen ein Ende. Hemme den Zug der
Leidenschaften. Behalte die Gegenwart in deiner Gewalt.
Mache dich mit dem, was dir oder einem andern begegnet, vertraut. Trenne und zerlege jeden Gegenstand in
seine Urkraft und seinen Stoff. Gedenke der letzten
Stunde. Laß die Fehler, die von andern begangen worden, da, wo sie geschehen sind.

30.

Auf das, was gesprochen wird, richte deine ganze Aufmerksamkeit, in Rücksicht auf die Begebenheiten ver-
senke deinen Geist in die Betrachtung ihrer Ursachen.

31.

Schmücke dich mit Harmlosigkeit, Bescheidenheit und
Gleichgültigkeit gegen alles, was zwischen Tugend und
Laster in der Mitte liegt. Liebe das Menschengeschlecht;
folge der Gottheit. Bei Gott, sagt der Dichter, ist alles
gesetzlich! Und wären keine Götter, wären bloß die
Grundstoffe, so muß man doch bedenken, daß alles bis
zum geringsten nach Gesetzen geordnet ist.

32.

Vom Tode. Sei er eine Zerstreuung oder Auflösung in die
Atome oder eine Vernichtung, er ist ein Aufhören oder
ein Übergang.

33.

Vom Schmerze. Ist er unerträglich, so führt er den Tod herbei, dauert er fort, so läßt er sich ertragen. Durch Sammlung in sich selbst bewahrt dabei die denkende Seele ihre Heiterkeit, und die in uns herrschende Vernunft erleidet keinen Schaden. Was die vom Schmerz beschädigten Glieder betrifft, so mögen sie, wenn sie können, darüber sich aussprechen.

34.

Vom Ruhme. Betrachte, von welcher Beschaffenheit die Gesinnungen der Ruhmsüchtigen sind und was sie einerseits meiden und anderseits erstreben. Bedenke ferner, gleichwie die früheren Sandhügel verdeckt werden, sobald neuer Sand über sie hingetrieben wird, so wird auch im Leben das Frühere vom Späteren bald bedeckt.

35.

Aus Plato:[128] »Wem ausgezeichnete Denkkraft und Einsicht in jegliche Zeit und jegliches Wesen zu Gebot steht, glaubst du wohl, daß der das menschliche Leben für etwas Großes hält?« – »Unmöglich kann er's.« – »Also wird ein solcher auch den Tod nicht als etwas Furchtbares ansehen.« – »Nein, in keiner Weise.«

36.

Ein Ausspruch des Antisthenes: Königlich ist es, wohlzutun und Schmähungen zu überhören.

37.

Schmachvoll ist es, wenn unser Angesicht, dem Verstande gehorsam, nach seinen Befehlen sich formen und zieren läßt, der Verstand selbst aber nicht durch seinen eigenen Willen geformt und geordnet wird.

128 Plato, *Staat* 486a-b.

38.

Der Außenwelt zu zürnen, wäre töricht; sie kümmert
sich nicht darum.[129]

39.

Den unsterblichen Göttern und uns verleihe du
Freude![129]

40.

Das Leben wird geerntet wie fruchtreiche Ähren. Diese
reift, die andere welkt schon hin.[129]

41.

Werd ich samt Kind verlassen von den Göttern, auch *das*
hat seinen Grund.[130]

42.

Das Gute und das Rechte ist bei mir.[131]

43.

Jammere nicht mit anderen und gerate auch sonst nicht
in heftige Erregung.

44.

Platonische Aussprüche:
»Diesem würde ich berechtigt sein zu antworten: Du
urteilst unrichtig, o Mensch, wenn du meinst, daß ein
Mann, der auch nur einigen Wert hat, in der Wahl zwischen Leben und Sterben die Gefahr scheuen und nicht
vielmehr *das* nur erwägen soll, ob, was er tut, recht oder
unrecht und die Tat eines Guten oder Schlechten sei.

---

129 Aus Euripides.
130 Aus einem unbekannten Gedichte.
131 Aus Aristophanes.

45.

Ja, ihr Männer von Athen, so verhält es sich in der Tat. Den Posten, auf den einer, in der Meinung, daß es der beste sei, sich selbst gestellt hat oder von seinem Feldherrn gestellt worden ist, muß er, dünkt mich, auch in Gefahr behaupten und dabei alles, selbst den Tod verachten, nur die Schande nicht.

46.

Sieh doch genau zu, o Glücklicher, ob das Edle und Gute nicht in etwas anderem besteht als in Erhaltung eines fremden oder des eigenen Lebens. Denn wer in Wahrheit ein Mann ist, soll nicht wünschen, so oder so lange zu leben, noch mit feiger Liebe am Leben hängen, sondern die Bestimmung hierüber Gott überlassen und den Weibern[132] glauben, daß auch nicht einer seinem Schicksal entrinnt. Nur der eine Gedanke beschäftige ihn, wie er die ihm noch beschiedene Lebenszeit so gut als möglich durchlebe.«

47.

Betrachte den Umlauf der Gestirne, als wenn dein Leben mit ihnen umliefe, und erwäge beständig die wechselnden Übergänge der Grundstoffe ineinander. Denn solche Betrachtungen reinigen dich vom Schmutz des Erdenlebens.

48.

Schön ist der Ausspruch: Wer über die Menschen reden will, der muß, wie von einem höheren Standpunkte aus, auch ihre irdischen Verhältnisse ins Auge fassen, ihre Versammlungen, Kriegszüge, Feldarbeiten, Heiraten, Friedensschlüsse, Geburten, Todesfälle, lärmende Gerichtsverhandlungen, verödete Ländereien, die mancher-

132 Schicksalsgöttinnen.

lei fremden Völkerschaften, ihre Feste, Totenklagen,
Jahrmärkte, diesen Mischmasch und diese Zusammensetzung aus den fremdartigsten Bestandteilen.

49.

Betrachte die Vergangenheit, die großen Veränderungen
so vieler Reiche; daraus kannst du auch die Zukunft vorhersehen; denn sie wird durchaus gleichartig sein dem,
was gewesen ist, und kann unmöglich von der Regel der
Gegenwart abweichen. Daher ist es auch einerlei, ob du
das menschliche Leben vierzig oder zehntausend Jahre
hindurch erforschst; denn was würdest du Neues sehen?

50.

Zur Erde muß, was aus der Erde stammt,
Doch was des Äthers Saat entkeimte, kehrt
Wieder in des Himmels Wölbung.[133]

Entweder ist das nun eine Auflösung der ineinander verflochtenen Atome oder eine Art von Zerstreuung empfindungsloser Grundstoffe.

51.

Durch Essen, Trinken und durch Zaubermittel
Sind wir bemüht, das Schicksal abzuwehren und den
Tod,
Doch müssen wir den Fahrwind, der von oben weht,
Sei's auch mit vielem Leid, hinnehmen ohne Klage.[133]

52.

Mag immerhin jemand kampfgeübter sein, nur sei er
nicht menschenliebender als du, nicht anspruchsloser,
nicht ergebener bei allen Begegnissen, nicht nachsichtsvoller bei den Verirrungen seiner Nebenmenschen.

133 Aus Euripides. Der Kaiser hatte sich aus verschiedenen Dichtern und
Philosophen Auszüge gemacht. Siehe 3,14.

53.

Wo ein Werk gemäß der den Göttern und Menschen gemeinsamen Vernunft ausführbar ist, da kann keine Gefahr sein. Denn, wo es möglich ist, vermittels einer gemäß unserer Naturanlage glücklich fortschreitenden Tätigkeit einen Vorteil zu erreichen, da hat man keinen Nachteil zu befürchten.

54.

Überall und jederzeit steht es bei dir, in deiner gegenwärtigen Lage religiöse Zufriedenheit zu äußern, gegen deine Zeitgenossen Gerechtigkeit zu beweisen und sich dir darbietende Ideen einer Prüfung zu unterwerfen, damit sich nicht etwa Unbegreifliches einschleiche.

55.

Sieh dich nicht nach den leitenden Grundsätzen anderer um, sondern schaue vielmehr unverwandten Blickes auf das Ziel, zu dem die Natur dich hinführt, sowohl die Allnatur durch das, was dir widerfährt, als deine eigene durch deine Obliegenheiten. Jeder aber hat zu leisten, was eine Folge seiner Naturanlage ist. Nun sind aber die übrigen Wesen der vernünftigen halber geschaffen, sowie überhaupt das Niedere um des Höheren willen, die Vernunftwesen aber sind eines um des anderen willen da. In der Natur des Menschen ist das erste sein Trieb zur Geselligkeit, das zweite aber seine Überlegenheit über die Sinnesreizungen. Denn der vernünftigen und verständigen Tätigkeitskraft ist es eigen, sich selbst zu beschränken und weder den Anforderungen der Sinne noch der Triebe je zu unterliegen. Beide sind ja tierisch. Die Vernunftkraft aber will den Vorrang haben und sich nicht von jenen meistern lassen, und das mit Recht; denn dazu ist sie von Natur da, sich jener überall zu ihren Zwecken zu bedienen. Der dritte Vorzug in der Natur eines vernünftigen Wesens besteht darin, nicht blindlings beizu-

pflichten noch sich täuschen zu lassen. Mit diesen Wahrheiten ausgestattet, wandle die gebietende Vernunft ihren
geraden Weg, und sie hat, was ihr gebührt.

56.

Gleich als ob du schon gestorben wärest und nicht länger
leben solltest, mußt du die Zeit, die dir gleichsam zum
Überfluß bleibt, der Natur gemäß durchleben.

57.

Liebe das, was dir widerfährt und zugemessen ist; denn
was könnte dir angemessener sein?

58.

Bei allem, was dir begegnet, habe diejenigen vor Augen,
denen dasselbe begegnete und die sofort Beschwerden,
Befremden und Klagen darüber äußerten. Wo sind sie
jetzt? Sie sind nicht mehr. Und du wolltest es ihnen
nachmachen und nicht vielmehr derlei fremdartige Gemütsbewegungen denjenigen überlassen, die auf solche
Weise sich und andere aufregen, dich selbst dagegen ganz
damit beschäftigen, wie du diese Vorfälle zu benutzen
habest? Du kannst sie nämlich aufs beste benutzen, und
sie werden dir einen herrlichen Stoff bieten. Sei nur aufmerksam und habe nur den Willen, bei allem, was du
tust, in deinen eigenen Augen ein rechtschaffener Mann
zu sein. Erinnere dich denn dieser beiden Vorschriften
und daß du dich nicht um gleichgültige Dinge kümmerst.

59.

Arbeite an deinem Innern. Da ist die Quelle des Guten,
eine unversiegbare Quelle, wenn du nur immer nach-
gräbst.

60.

Auch der Körper muß eine feste Haltung haben und darf
weder in der Bewegung noch in der Ruhe diese Festigkeit

verlieren. Denn wie sich das Innere in deinen Gesichtszügen ausprägt und Nachdenken und Ehrbarkeit darin sich zeigt, so läßt sich etwas Ähnliches vom ganzen Körper fordern. Nur muß das alles auf eine ungesuchte Weise beobachtet werden.

61.

Die Lebenskunst hat mit der Fechtkunst mehr Ähnlichkeit als mit der Tanzkunst, insofern man auch auf unvorhergesehene Streiche gerüstet sein und unerschütterlich fest stehen muß.

62.

Prüfe beständig, wer diejenigen sind, nach deren Billigung dich verlangt, und welche leitenden Grundsätze sie haben. Denn alsdann wirst du weder über ihre unvorsätzlichen Fehltritte zürnen noch ihren Beifall begehren, wenn du auf die Quellen ihrer Meinungen und Triebe siehst.

63.

Eine Seele, sagt jener, wird stets gegen ihren Willen der Wahrheit beraubt. Daher also auch der Gerechtigkeit, der Selbstbeherrschung, des Wohlwollens und jeder anderen Tugend. Es ist aber sehr nötig, dessen stets eingedenk zu sein; denn man wird so milder gegen jedermann.

64.

Bei jedem Schmerz sei dir der Gedanke gegenwärtig, daß er nichts Entehrendes ist und auch die leitende Denkkraft in dir nicht schlechter macht; denn diese kann, weder an und für sich als mit Vernunft begabt noch in ihrem Verhältnis zur Gesellschaft betrachtet, zerrüttet werden. Doch möge dich bei den meisten schmerzlichen Empfindungen der Ausspruch Epikurs[134] trösten, daß sie

---

134 Epikur, geb. 341 v. Chr. bei Athen, lehrte u. a., daß der Mensch von allem Äußeren sich unabhängig und in sich selbst glücklich machen soll.

ebensowenig unerträglich als ewig dauernd sind, wofern
du sie nicht durch Einbildung vergrößerst und bedenkst,
daß alles seine Grenzen hat. Erinnere dich aber auch dessen, daß manches, was mit dem Schmerz einerlei ist, in
uns, ohne daß wir's bemerken, Widerwillen erregt, wie
Schläfrigkeit, Erhitzung und Mangel an Eßlust. So oft
nun etwas der Art dir unbehaglich wird, sage zu dir
selbst: Du erliegst ja dem Schmerz.

65.

Hüte dich, gegen Unmenschen ebenso gesinnt zu sein,
wie die Menschen gegen Menschen gesinnt zu sein
pflegen.

66.

Woher wissen wir, ob nicht Telauges[135] einen edleren
Charakter hatte als Sokrates? Denn hier ist es nicht genug, daß Sokrates auf ruhmvollere Art starb, daß er in
seinen Unterredungen mit den Sophisten größere Geistesschärfe zeigte, daß er mit mehr Geduld die Nacht
unter dem eiskalten Himmel zubrachte, daß er dem Befehle, den Salaminier herbeizuführen, sich mit noch grö-
ßerer Seelenstärke widersetzte, daß er, was man, selbst
wenn es wahr wäre, kaum glauben möchte, auf den Straßen stolz einherschritt. Man muß vielmehr auf folgende
Fragen Rücksicht nehmen: Wie war des Sokrates Seele
beschaffen? Genügte ihm die Gerechtigkeit gegen die
Menschen und die Frömmigkeit gegen die Götter? Hat er
sich nie ohne Grund über die Schlechtigkeit anderer ge-
ärgert, nie ihrer Unwissenheit nachgegeben? Hat er die
vom Ganzen ihm zugeteilten Schickungen nie mit Befremden aufgenommen oder unter sie, als unter ein unerträgliches Joch, sich gebeugt? Nie seine Vernunft zur
Genossin der Leiden des armseligen Fleisches gemacht?

135 Telauges, Sohn des Pythagoras, bekannt durch seine Enthaltsamkeit,
aber auch übermäßige Vernachlässigung seines Äußeren.

67.

Die Natur hat dich nicht in dem Grade mit der Körper-
masse zusammengemischt, daß du dich nicht auf dich
selbst beschränken und das mit ungehinderter Freiheit
tun könntest, was deine Pflicht erheischt. Denn es ist
recht wohl möglich, ein göttlicher Mann zu sein und
doch von niemandem dafür erkannt zu werden. Dessen
sei stets eingedenk, und denke außerdem daran, daß zu
einem glückseligen Leben nur sehr wenig erforderlich ist,
und solltest du auch die Hoffnung aufgeben müssen, es
in Dialektik und Naturkunde weit zu bringen, du deshalb doch nicht darauf verzichten darfst, ein freigesinn-
ter, bescheidener, geselliger und gegen Gott gehorsamer
Mensch zu werden.

68.

Ungehindert kannst du dein Leben in größter Seelenruhe
hinbringen, wenn auch alle Menschen nach Herzenslust
ein Geschrei wider dich erheben, ja wenn selbst die wilden Tiere die schwachen Glieder dieser dich umhüllen-
den Fleischmasse zerreißen sollten. Denn was hindert
deine denkende Seele, trotz alledem sich bei vollständiger
Heiterkeit zu erhalten, die Umstände richtig zu beurtei-
len und die ihr dargebotenen Gelegenheiten erfolgreich
zu benutzen? So sagt das Urteil zum Ereignis: Das bist
du dem Wesen nach, auch wenn du der Meinung nach
anders erscheinst; und die Benutzung spricht zur Gelegenheit: Dich suchte ich eben; denn immer bietet mir die
Gegenwart Stoff zur Ausübung einer vernünftigen und
staatsbürgerlichen Tugend und soll mir Anlaß geben,
meine Pflicht gegen Gott und Menschen zu erfüllen.
Steht ja doch jedes Begegnis im innigsten Bezug zu Gott
oder zum Menschen und ist mithin nichts Unerhörtes
oder schwer zu Behandelndes, sondern vielmehr etwas
Bekanntes und Leichtes.

69.

Das ist ein echtes Zeichen sittlicher Vollkommenheit, wenn man jeden Tag, als wäre er der letzte, hinbringt, fern von Aufwallung, Erschlaffung und Verstellung.

70.

Die Götter sind nicht unwillig darüber, daß sie, als Unsterbliche, eine so lange Zeitdauer hindurch eine so große Menge verhärteter Lasterhafter zu dulden haben, ja sie sind zudem auf jede Weise für sie besorgt,[136] und du, der du so bald ein Ende nehmen wirst, wirst müde, die Bösen zu ertragen, da du noch dazu selbst in ihre Reihe gehörst?

71.

Es ist lächerlich, der eigenen Schlechtigkeit sich nicht entziehen zu wollen, was doch möglich, wohl aber der Schlechtigkeit anderer, was unmöglich ist.

72.

Was die vernünftige und zu staatsbürgerlicher Tugend berufene Kraft nicht vernünftig oder gemeinnützig findet, das hält sie mit Recht für unter ihrer Würde.

73.

Wenn du eine Wohltat erwiesen und ein anderer deine Wohltat empfangen hat, was suchst du, gleich den Toren, daneben noch ein Drittes, nämlich den Ruhm eines Wohltäters oder Vergeltung dafür zu erhalten?[137]

74.

Niemand wird müde, seinen Nutzen zu suchen; Nutzen aber gewährt uns eine naturgemäße Tätigkeit. Werde also

136 Gott läßt seine Sonne aufgehen über Böse und Gute. Vgl. Matth. 5,45.
137 Man soll das Gute nicht der Ehre wegen tun.

nicht müde, deinen Nutzen zu suchen, indem du anderen
Nutzen gewährst.

75.

Die Allnatur fühlte den Drang zur Weltschöpfung. Alles,
was geschieht, ist daher eine notwendige Folge des Weltplanes, oder das Wichtigste, dessen Verwirklichung die
weltbeherrschende Vernunft eigens anstrebt, ist ohne
Grund vorhanden. Mehr als einmal wird es zu deiner
Geistesruhe beitragen, wenn du diesen Gedanken in deiner Seele bewahrst.

Achtes Buch

1.

Auch das bewahrt dich vor eitler Ruhmbegierde, daß du
nicht dein ganzes Leben, zumal nicht von Jugend auf,
hast hinbringen können, wie es einem Philosophen geziemt, sondern vielen anderen, wie dir selbst, als ein
Mensch erschienen bist, der weit von der Philosophie
entfernt ist. Ein Makel also hängt dir an, und es ist dir
mithin nicht mehr leicht, den Ruhm eines Philosophen
zu gewinnen. Aber auch deine Lebensstellung ist dir dabei hinderlich. Wofern du nun in Wahrheit eingesehen
hast, worin die Hauptsache liegt, so laß einmal allen
Dünkel fahren, und dann begnüge dich damit, den etwa-
igen Rest deines Lebens dem Willen der Natur gemäß
hinzubringen. Erwäge demnach, was sie fordert, und laß
dich durch nichts davon abbringen. Du hast ja manches
versucht, bist unter so vielen Gegenständen umhergeirrt
und hast doch nirgends das Glück des Lebens gefunden.
Nicht in Vernunftschlüssen, nicht im Reichtum, nicht im
Ansehen, nicht im Sinnengenusse, nirgends. Wo ist es

denn nun wirklich? Da, wo man tut, was die Menschennatur erheischt. Aber wie läßt sich das tun? Wenn man
seine Bestrebungen und Handlungen aus Grundsätzen
entspringen läßt. Was sind das für Grundsätze? Solche,
die sich auf Güter und Übel beziehen und nach denen
nichts für den Menschen ein Gut ist, was ihn nicht gerecht, besonnen, mannhaft, freigesinnt macht, und
ebenso nichts ein Übel, was nicht das Gegenteil von dem
Gesagten hervorbringt.

2.

Bei allem, was du tust, frage dich selbst: Wie steht es
eigentlich für mich damit? Werde ich es zu bereuen haben? Über ein kleines, und ich bin tot, und alles ist dahin.
Was kann ich aber mehr verlangen, wenn meine gegenwärtige Weise zu handeln die eines vernünftigen und geselligen Wesens ist, das mit der Gottheit unter gleichen
Gesetzen steht?

3.

Alexander, Cäsar und Pompejus, was sind sie gegen einen Diogenes, Heraklit und Sokrates? Die letzteren erkannten die Dinge, ihre wirkenden Kräfte und ihre Bestandteile, und waren immer in gleicher Seelenruhe. Bei
jenen aber, welche Besorgnis vor so vielem und welch
knechtische Abhängigkeit von wie vielem!

4.

Und wenn du gleich platzen solltest, sie werden nichtsdestoweniger ebenso handeln.

5.

Vor allen Dingen laß dich nicht beunruhigen; alles geht ja
doch so, wie es der Natur des Ganzen gemäß ist. Noch
eine kurze Zeit – und du wirst nicht mehr sein, so wenig
wie Hadrian und Augustus. Demnächst fasse deine Le-

bensaufgabe unverwandten Blicks ins Auge und erinnere dich dessen, daß du ein guter Mensch sein sollst, und was die Natur des Menschen von dir fordert, das tue unverrückt, und rede auch nur, was dir als durchaus gerecht erscheint, aber immer auf eine bescheidene, ruhige und ungeheuchelte Weise.

6.

Die Allnatur ist immer geschäftig, die vorhandenen Dinge von einer Stelle zur andern zu versetzen, sie umzuwandeln, sie von hier wegzunehmen und dorthin zu verpflanzen. Alles wechselnd und doch auch an gleiche Gesetze gebunden! Alles gewöhnlich! Man darf also nichts Ungewöhnliches befürchten.

7.

Jedes Naturwesen ist zufrieden, wenn es ihm wohl geht. Einem vernünftigen Wesen geht es aber wohl, wenn es in die Reihe seiner Vorstellungen nichts Unwahres oder Ungewisses aufnimmt, seine Triebe nur auf gemeinnützige Handlungen richtet, seine Neigungen und Abneigungen allein auf das lenkt, was von uns selbst abhängig ist, und jedes von der Gesamtnatur ihm zugeteilte Los mit Wohlgefallen aufnimmt. Ist es ja doch ein Teil von ihr, wie das Blatt ein Teil von der Pflanze ist, mit dem Unterschied jedoch, daß das Blatt ein Teil von einer empfindungsleeren, vernunftlosen, Hindernissen unterworfenen Natur ist, die Menschennatur dagegen ein Teil einer über alle Hindernisse erhabenen, vernünftigen und gerechten Natur, insofern sie jedem Wesen nach Maßgabe seines Wertes gleichen Anteil an Dauer, Stoff, Kraft, Wirksamkeit und Begegnissen verleiht. Zu dem Ende vergleiche nicht die einzelnen Eigenschaften der Wesen miteinander, sondern vielmehr das Ganze einer Gattung mit dem Ganzen einer anderen.

8.

Wenn es dir nicht vergönnt ist zu lesen,[138] so ist dir's doch vergönnt, Schändliches von dir abzuwenden; vergönnt, Lust und Schmerz zu bemeistern; vergönnt, dich über eitle Ruhmsucht erhaben zu zeigen; vergönnt, gefühllosen und undankbaren Menschen nicht zu zürnen, noch mehr, ihnen Gutes zu erweisen.

9.

Niemand höre von dir eine Beschwerde über das Hofleben oder über dein eigenes Leben.

10.

Die Reue ist eine Art Selbststrafe, weil man sich etwas Nützliches hat entgehen lassen. Das Gute aber ist notwendigerweise nützlich, und deshalb muß der gute und edle Mann sich darum kümmern. Dagegen hat es ein guter und edler Mann wohl noch nie bereut, daß er sich ein Vergnügen hat entgehen lassen. Mithin ist die Sinnenlust weder etwas Nützliches noch auch ein Gut.

11.

Dieser Gegenstand hier, was ist er an und für sich nach seiner eigentümlichen Beschaffenheit? Was ist er seinem Wesen und seinem Stoffe nach? Welches ist seine wirkende Kraft? Was tut er in der Welt, und wie lange dauert er fort?

12.

So oft du dich ungern dem Schlaf entreißest, denke daran, daß die Ausübung gemeinnütziger Handlungen sowohl deine Pflicht als deiner Menschennatur gemäß ist, das Schlafen aber hast du sogar mit den vernunftlosen Tieren gemein. Was aber der Natur eines jeden Wesens

138 Siehe 3,14; 5,5.

gemäß ist, das ist ihm entsprechender, angemessener, ja sogar auch angenehmer.

13.

Jederzeit und womöglich bei jeder Vorstellung mußt du die Lehren der Physik, der Ethik, der Dialektik in Anwendung bringen.[139]

14.

Wenn du mit jemandem verkehrst, lege dir sogleich die Frage vor: Welche Grundsätze hat er von dem Guten und von dem Bösen? Denn je nach den Ansichten, die er von Lust und Schmerz und den Ursachen beider, von Ehre und Unehre, Tod und Leben hegt, kann es mich nicht wundern noch befremden, wenn er so und so handelt. Vielmehr will ich dabei bedenken, daß er gezwungen ist, so zu handeln.

15.

Denke daran, daß es ebenso schimpflich ist, darüber sein Befremden zu äußern, daß die Welt das hervorbringt, wozu sie in sich die Keime hat, als darüber, daß der Feigenbaum Feigen trägt. Wäre es doch auch für einen Arzt und einen Steuermann schimpflich, wenn jener über einen Fieberkranken und dieser über einen Gegenwind sein Befremden äußern wollte.

16.

Bedenke, daß du nicht gegen deine Freiheit handelst, wenn du deine Meinung änderst und dem, der sie berichtigt, nachgibst. Denn auch dann vollzieht sich deine Tätigkeit nach deinem Willen und Urteil und sogar auch nach deinem Sinn.

---

139 Die Stoiker teilten die Philosophie gewöhnlich in drei Teile ein: Physik, d. h. Studium nach Wesen und Beschaffenheit, Ethik, nach dem sittlichen Wert, Dialektik, zur richtigen Beurteilung.

17.

Rührt ein Übel von dir selbst her, warum tust du's? Kommt es von einem andern, wem machst du Vorwürfe? Etwa den Atomen oder den Göttern? Beides ist unsinnig. Hier ist niemand anzuklagen. Denn, kannst du, so bessere den Urheber; kannst du das aber nicht, so bessere wenigstens die Sache selbst; kannst du aber auch das nicht, wozu frommt dir das Anklagen? Denn ohne Zweck soll man nichts tun.

18.

Was stirbt, kommt darum noch nicht aus der Welt. Wenn es nun hier bleibt, so verwandelt es sich auch hier und wird in seine Grundstoffe aufgelöst, die es mit der Welt und mit dir gemeinsam hat. Auch die Elemente selbst verwandeln sich und murren nicht.

19.

Jedes Wesen, zum Beispiel ein Pferd, ein Weinstock, ist zu irgendeinem Zwecke da. Was Wunder? Auch die Sonne wird dir sagen: Ich bin zu einer Wirksamkeit entstanden, und so auch die übrigen Götter.[140] Zu was bist du nun da? Etwa zu sinnlichen Freuden? Sieh doch einmal zu, ob der gesunde Menschenverstand eine solche Behauptung zuläßt.

20.

Die Natur nimmt auf jedes Wesen Rücksicht, und zwar nicht minder auf sein Ende als auf seinen Anfang und seine Fortdauer, so wie der, der den Ball in die Höhe wirft, auf ihn Achtung gibt. Was widerfährt nun dem Balle Gutes, wenn er emporgeworfen wird, und was für ein Übel, wenn er herunterkommt oder zu Boden fällt? Was für eine Wohltat der Wasserblase, wenn sie zusam-

---

140 Die Stoiker erblicken in den Gestirnen lebendige, göttliche Wesen.

menhält, oder was für ein Leid, wenn sie zerplatzt?
Ebenso ließe sich in betreff eines Lichtes fragen.[141]

21.

Kehre einmal das Innere deines Körpers um wie ein
Kleid und schau, wie es inwendig beschaffen ist und was
er sein wird, wenn Alter, Krankheit und Ausschweifung
ihn aufreiben! Von kurzer Lebensdauer ist sowohl der,
welcher lobt, als der, welcher gelobt wird, der, welcher
eines andern gedenkt, und der, dessen gedacht wird. Und
zudem nur in einem Winkel dieses Erdstriches geschieht
es, und selbst hier stimmen nicht alle miteinander, ja der
einzelne stimmt nicht einmal mit sich selbst überein.
Nun ist aber die ganze Erde nur ein Punkt.

22.

Habe jedesmal acht auf das, um was es sich handelt, auf
das, was du denkst, was du bist, auf den Sinn der Worte,
die du aussprichst. Sonst geschieht dir eben recht. Du
willst lieber morgen erst gut werden, als es heute schon
sein.

23.

Bin ich tätig, so bin ich es mit Rücksicht auf Menschen-
wohlfahrt; widerfährt mir etwas, so nehme ich es hin und
beziehe es auf die Götter und den allgemeinen Urquell,
von dem alle Ereignisse engverbunden herfließen.

24.

Was siehst du beim Baden? Öl, Schweiß, Schmutz, kleb-
riges Wasser – lauter widerliche Dinge. Von eben der Art
ist jeder Teil des Lebens und alles, was darin vorkommt.

---

141 So ist auch Leben und Tod an sich gleichgültig.

25.

Lucilla[142] sah den Verus sterben, nachher starb auch Lucilla, Secunda den Maximus[143], und dann folgte Secunda ihm, Epitynchanus den Diotimus, und bald folgte Epitynchanus diesem, Faustina[144] starb vor Antoninus und dann Antoninus selbst, Hadrian vor Celer[145], und dann starb auch Celer. So gings mit allen. Jene Scharfsinnigen, jene Seher oder jene aufgeblasenen Leute – wo sind sie? Wo sind zum Beispiel die scharfsinnigen Männer Charax[146], Demetrius der Platoniker, Eudämon[147] und andere der Art? Alles Eintagsgeschöpfe und nun längst schon tot. Von einigen hat sich nicht einmal auf kurze Zeit ein Andenken erhalten; andere Namen aber wurden zur Fabel, andere wiederum sind bereits auch aus der Reihe dieser verschwunden. Denke also daran, daß auch dein Körpergewebe sich auflösen, dein Geist verlöschen oder fortwandern oder anderswohin sich versetzen lassen muß.

26.

Es gewährt dem Menschen Freude, wahrhaft menschlich zu handeln. Wahrhaft menschlich aber ist das Wohlwollen gegen seinesgleichen, Verachtung der Sinnenreize, Unterscheidung bestechender Vorstellungen, Betrachtung der Allnatur und ihrer Wirkungen.

27.

Der Mensch steht in drei Beziehungen: erstens zu der ihn umgebenden körperlichen Hülle, zweitens zum gött-

---

142 Lucilla, Marc Aurels Tochter und Gemahlin seines Mitregenten Verus.
143 Maximus, Lehrer Marc Aurels, im 1. Buch erwähnt.
144 Faustina, die Gemahlin des Kaisers.
145 Ein griechischer Rhetor, Lehrer Marc Aurels.
146 Ein Philosoph.
147 Berühmter Astrolog.

lichen Ursprung, von dem alles herrührt, was uns begegnet, drittens zu seinen Zeitgenossen.[148]

28.

Der Schmerz ist entweder für den Leib ein Übel – so mag sich denn dieser darüber beschweren – oder für die Seele; dieser aber ist es ja vergönnt, ihre Heiterkeit und Ruhe zu behaupten und jenen für kein Übel zu halten. Denn Urteil, Trieb, Neigung und Abneigung – alle haben ihren Sitz tief im Innern, und bis dahin versteigt sich kein Übel.

29.

Unterdrücke die Einbildungen, indem du beständig zu dir selbst sprichst: Es steht ja allein bei mir, in dieser Seele keine Bosheit, keine Begierde und überhaupt keine Leidenschaft aufkommen zu lassen, hingegen will ich alles von dem richtigen Gesichtspunkt aus betrachten und jedes Ding nach seinem Werte benutzen. Gedenke dieses dir von der Natur geschenkten Vermögens.

30.

Im Senat sowohl als im Umgangsleben rede geziemend, ohne affektiert zu werden. Rede mit gesunder Vernunft.

31.

Der Hof des Augustus, seine Gemahlin, seine Tochter, seine Enkel, seine Schwiegersöhne, seine Schwester, Agrippa, seine Verwandten, Hausgenossen und Freunde, Arius[149], Mäcenas, seine Leibärzte und Opferpriester, kurz, sein ganzer Hof – eine Beute des Todes! Von da geh weiter, nicht etwa zum Tode eines einzelnen Menschen, sondern ganzer Familien, wie der Familie der Pompejer.

---

148 Daraus folgen die Pflichten gegen uns selbst, gegen Gott und unsere Nebenmenschen.
149 Stoischer Philosoph aus Alexandrien, Lehrer des Augustus.

So manches Grabmal führt die Aufschrift: der Letzte
seines Geschlechts. Nun bedenke einmal, wie sehr ihre
Vorfahren um einen Nachkömmling besorgt waren, und
doch mußte notwendig einer der letzte sein. Erwäge
überdies den Tod ganzer Völker.

32.

Du mußt in dein ganzes Leben wie in jede einzelne
Handlung Ordnung bringen, und wenn du dir bei allen
Handlungen sagen kannst: Ich tat nach besten Kräften,
so kannst du ruhig sein, und daß du deine ganze Kraft
einsetztest, daran kann dich niemand hindern. »Aber es
kann sich von außen her ein Widerstand erheben?« Gewiß keiner gegen ein gerechtes, besonnenes und überleg-
tes Handeln. Aber vielleicht tritt sonst etwas deiner Tätigkeit in den Weg? Doch lässest du dir nur jenes Hindernis gefallen und schreitest zu dem, was dir noch freisteht,
mit Überlegung fort, so tritt sogleich ein neuer Gegenstand der Tätigkeit an die Stelle und wird sich in die
Lebensordnung fügen, von der wir reden.

33.

Ohne Anmaßung nimm an, ohne Bedauern gib hin!

34.

Hast du schon einmal eine abgeschnittene Hand oder
einen abgehauenen Fuß oder Kopf, vom übrigen Körper
getrennt, daliegen sehen? Gerade so nimmt sich derjenige
aus, der über sein Schicksal unwillig wird, sich von anderen absondert oder sich gemeinschädliche Handlungen
erlaubt. Du hast dich so gewissermaßen ausgestoßen, von
der naturgemäßen Einheit getrennt. Denn als ein Teil
warst du ihr einverleibt und hast dich nun selbst davon
abgesondert. Aber hier ist es noch bewundernswert, daß
du dich mit ihr von neuem vereinigen kannst. Diese
Möglichkeit, nach Trennung und Verstümmlung mit dem

Ganzen wieder zusammenzukommen, hat Gott keinem andern Teile der Natur verliehen. Erwäge doch die Güte, womit er den Menschen bevorzugt hat. Denn er hat beides in seine Hand gelegt, seine Lostrennung vom Ganzen gleich anfangs zu vermeiden, aber auch nach seiner Trennung sich wieder mit demselben zu vereinigen, sich von neuem ihm einzuverleiben und seine Stellung als Teil wieder einzunehmen.

35.

Jedes von uns vernünftigen Geschöpfen hat neben seinen übrigen Kräften von der Allnatur auch noch folgende erhalten: so nämlich wie diese allem, was ihr widersteht und entgegenwirkt, eine andere Wendung gibt, es in die Kette ihrer Notwendigkeit einreiht und zu einem Bestandteile ihrer selbst macht: so kann auch das vernunftbegabte Wesen jedes Hindernis zu einem Gegenstand seiner Wirksamkeit machen und sich desselben zur Erreichung seines jedesmaligen Zweckes bedienen.

36.

Laß dich nicht durch die Betrachtung deines Lebens in seiner Gesamtheit entmutigen! Fasse nicht alle Unannehmlichkeiten, die dir vielleicht noch begegnen könnten, nach Beschaffenheit und Menge auf einmal in Gedanken zusammen, sondern frage dich vielmehr bei jeder einzelnen, wenn sie da ist: Was ist denn daran eigentlich nicht zu ertragen und auszuhalten? Du mußt dich ja schämen, es zuzugestehen. Denke ferner daran, daß weder das Zukünftige noch das Vergangene, sondern immer nur das Gegenwärtige dir lästig werden kann, des letzteren Last aber gemildert wird, wenn du erwägst, wie kurz es ist, und wenn du deiner denkenden Seele die Schwäche vorhältst, daß sie nicht einmal eine kleine Bürde aushalten könne.

37.

Sitzen etwa auch jetzt noch Panthea oder Pergamus am Grabe des Verus? oder Chabrias und Diotimus an dem Hadrians? Das wäre lächerlich. Wie aber, wenn sie wirklich dasäßen, würden jene es fühlen, und wenn sie es fühlten, würde es sie freuen, und wenn es sie freute, würden sie darum unsterblich sein? War es nicht ihr notwendiges Geschick, erst zu altern und dann zu sterben? Und können denn die Klagenden dem Tode entrinnen? Dieser ganze Körper ist Moder und Verwesung.

38.

Wenn du Scharfsinn besitzest, so zeige ihn in weisen Urteilen.

39.

In einem vernünftigen Geschöpfe finde ich keine Tugend, die der Gerechtigkeit widerstreitet, wohl aber eine, die der Wollust entgegensteht, die Enthaltsamkeit.

40.

Wenn du deine Meinung von dem aufgibst, was dich zu betrüben scheint, so hast du dich selbst in vollkommene Sicherheit gebracht. Wer ist dies Selbst? Die Vernunft. »Aber ich bin ja doch nicht die Vernunft.« Du *sollst* es sein, und mithin soll die Vernunft nicht sich selbst betrüben. Ist aber sonst noch etwas an dir in schlimmem Zustand, so möge dieses selbst über sich aburteilen!

41.

Beschränkung der Sinnlichkeit ist ein Übel für die tierische Natur, Beschränkung des Triebes ist es gleichfalls. Ebenso gibt es auch manches, was der Entwicklung des Pflanzenlebens hinderlich ist. So ist demnach auch die Beschränkung der Vernunft ein Übel für die vernünftige Natur. Wende auf dich selbst alle diese Beobachtungen

an. Unlust oder Lust berühren dich? Da mag die Sinnlichkeit zusehen. Gegen deinen Trieb erhebt sich ein Widerstand? Wolltest du nun deinem Triebe unbedingt
nachgeben, so wäre das schon ein Übel für dich als ver-
nünftiges Wesen. Siehst du aber jenen Widerstand als etwas Gewöhnliches an, so wird kein Nachteil oder Hindernis für dich eintreten. In den der Vernunft angehöri-
gen Kreis pflegt fürwahr nichts anderes störend einzu-
greifen; denn diesen tastet weder Feuer noch Eisen noch
ein Gewaltherrscher, nicht Lästerung noch sonst etwas
an. Solange eine Kugel besteht, bleibt sie eben rund nach
allen Seiten.

42.

Ich verdiene es nicht, mich selbst zu betrüben, da ich ja
nicht einmal einen andern jemals geflissentlich betrübt
habe.

43.

Dem einen macht dies, einem andern jenes Freude; die
meinige finde ich im Besitz einer gesunden, mich beherr-
schenden Vernunft, die von keinem Menschen und von
keiner menschlichen Angelegenheit sich abwendet, sondern alles mit wohlwollendem Auge ansieht und aufnimmt und jegliches nach Maßgabe seines Wertes
benutzt.

44.

Auf, benutze die gegenwärtige Zeit; denn diejenigen, die
mehr dem Nachruhm nachgehen, bedenken nicht, daß
die kommenden Geschlechter ebenso beschaffen sein
werden wie die jetzigen, über die sie sich beschweren.
Auch jene sind ja sterblich. Überhaupt, was kümmert es
dich, wenn unter ihnen diese und jene Stimmen über dich
laut werden oder sie diese und jene Meinung von dir
haben?

45.

Nimm mich und versetze mich, wohin du willst. Überall werde ich meinen hilfreichen Genius besitzen, das heißt einen Geist, der zufrieden damit ist, wenn er seiner eigentümlichen Natur gemäß sich verhalten und wirken kann. Sollte wohl jenes so erheblich sein, daß dadurch meine Seele sich schlecht befindet und verschlimmert und gedrückt, sehnsüchtig, zerrüttet, bestürzt unter sich selbst herabsinkt? Was gäbe es wohl, das solch eines Opfers wert wäre?

46.

Dem Menschen kann nie etwas begegnen, was nicht ein menschlicher Vorfall wäre, so wenig wie dem Stiere etwas, was nicht seiner Stiernatur, oder dem Weinstock etwas, was nicht der Natur des Weinstocks, oder auch dem Steine etwas, was nicht der Natur des Steines angemessen wäre. Wenn nun jedem begegnet, was gewöhnlich und natürlich ist, warum wolltest du ärgerlich darüber werden, da die Allnatur dir nichts Unerträgliches widerfahren läßt?

47.

Wenn ein Gegenstand der Außenwelt dich mißmutig macht, so ist es nicht jener, der dich beunruhigt, sondern vielmehr dein Urteil darüber; dieses aber sofort zu tilgen, steht in deiner Macht. Hat aber die Mißstimmung in deinem Seelenzustande ihren Grund, wer hindert dich, deine Ansichten zu berichten? Desgleichen, wenn du darüber mißmutig bist, daß du dich nicht in einem Tätigkeitskreise befindest, der dir als vernünftig erscheint, warum nicht lieber tätig als mißgestimmt sein? »Aber ein Hindernis, stärker als ich, stellt sich in den Weg.« So sei dennoch nicht mißmutig; der Grund deiner Untätigkeit liegt ja dann nicht in dir. »Aber das Leben hat keinen Wert mehr für mich, wenn das nicht ausgeführt wird.«

Nun, so scheide aus dem Leben, so ruhig, als wenn du es
vollbracht hättest; doch vergiß nicht, deinen Wider-
sachern zu verzeihen.

48.

Denke daran, daß deine herrschende Vernunft, wenn sie,
in sich selbst gesammelt, sich selbst genügt und nichts
tut, was sie nicht will, unüberwindlich wird, auch wenn
sie einmal ohne genügenden Grund Widerstand leistet.
Wieviel mehr also dann, wenn sie mit Grund und mit
Bedacht über etwas urteilt? Deshalb ist die denkende
Seele, von Leidenschaft frei, gleichsam eine Festung.
Denn der Mensch hat keine stärkere Schutzwehr, wohin
er seine Zuflucht nehmen könnte, um fortan unbezwing-
lich zu sein. Wer nun diese nicht kennt, ist unwissend;
wer sie aber kennt, ohne zu ihr seine Zuflucht zu nehmen, ist unglücklich.

49.

Rede dir nicht noch von selbst etwas ein zu dem, was die
sinnlichen Wahrnehmungen dir unmittelbar verkündi-
gen. Man hat dir hinterbracht, dieser und jener rede
schlecht von dir. Gut! Das aber, daß du hierdurch Schaden leidest, hat man dir nicht hinterbracht. Ich sehe, daß
mein Kind krank ist. Das aber, daß es in Gefahr schwebt,
sehe ich nicht. So, nun bleibe immer bei den ersten Ein-
drücken stehen und setze nichts aus deinem Innern oder
selbst hinzu, und dir wird nichts geschehen. Oder willst
du etwas hinzusetzen, so tue es als ein Mann, der alle
Weltbegebenheiten durchschaut.

50.

Diese Gurke ist bitter. Nun, so wirf sie weg. Hier sind
Dorngesträuche am Weg. Weiche ihnen aus. Das ist alles.
Frage nicht noch: Wozu gibt es solche Dinge in der Welt?
Sonst würde dich ein Naturkundiger auslachen, gleich-

wie der Tischler und der Schuster dich auslachen würde,
wenn du's ihnen zum Vorwurf machen wolltest, daß du
in ihren Werkstätten Hobelspäne und Lederabfälle wahr-
nimmst. Und doch haben diese Leute noch einen Ort,
wo sie dergleichen hinwerfen können. Die Allnatur aber
hat außerhalb ihres eigenen Kreises nichts. Das ist gerade
das Bewundernswerte in ihrer Kunstfertigkeit, daß sie in
ihrer Selbstbegrenzung alles, was in ihr zu verderben, zu
veralten und unbrauchbar zu werden droht, in ihr eigenes Wesen umwandelt und eben daraus wieder andere
neue Gegenstände bildet. Sie bedarf zu dem Ende
ebensowenig eines außer ihr befindlichen Stoffes, als sie
eine Stätte nötig hat, um das Morsche dorthin zu werfen.
Sie hat vielmehr an ihrem eigenen Raum, ihrem eigenen
Stoff und an ihrer eigenen Kunstfertigkeit genug.

51.

Sei in deinem Tun nicht nachlässig, in deinen Reden nicht
verworren, in deinen Vorstellungen nicht zerstreut; laß
deine Seele niemals sich verengen oder leidenschaftlich
aufwallen oder in deinem Leben dich von Geschäften
völlig mit Beschlag belegen. Mögen sie dich ermorden,
zerfleischen und mit ihren Flüchen verfolgen. Was tut
denn das? Kann doch deine denkende Seele dessenungeachtet rein, verständig, besonnen, gerecht bleiben! Eine
klare und süße Quelle hört ja nicht auf, ihren Labetrunk
hervorzusprudeln, sollte gleich jemand hinzutreten und
sie verlästern. Und auch wenn er Schmutz hineinwerfen
sollte, sie wird diesen doch alsbald zerteilen oder weg-
spülen, ohne dadurch im mindesten getrübt zu werden.
Wie kannst du dir nun eine solche nie versiegende Quelle
– und nicht etwa bloß eine Zisterne – zu eigen machen?
Wenn du dir selbst stündlich eine freie Gesinnung, verbunden mit Wohlwollen, Einfalt und Bescheidenheit, anzueignen strebst.

52.

Wer nicht weiß, was die Welt ist, der weiß auch nicht, wo er lebt. Wer aber den Zweck seines Daseins nicht kennt, der weiß weder, wer er selbst, noch was die Welt ist. Wem aber diese Kenntnis fehlt, der kann auch seine eigene Bestimmung nicht angeben. In welchem Lichte erscheint dir nun ein Mensch, der die Lästerung derer fürchtet oder um den lauten Beifall derer buhlt, die nicht wissen, wo oder wer sie selbst sind?

53.

Wünschst du wohl von einem Menschen gelobt zu werden, der in einer Stunde dreimal sich selbst verflucht? Oder wolltest du wohl dem gefallen, der sich selbst nicht gefällt? Oder gefällt der sich selbst, der beinahe alle seine Handlungen bereut?

54.

Nicht bloß dein Odem soll mit der dich umgebenden Luft, sondern auch dein Sinn soll mit dem Vernunftwesen in Übereinstimmung sein, das alles umgibt. Denn die Vernunftkraft[150] ist ebenso über das All ausgegossen und durchdringt ebenso jeden, der sie an sich ziehen will, wie die Luft den, der Atem holt.

55.

Die Bosheit schadet weder der Welt im allgemeinen noch dem Nebenmenschen insbesondere. Sie ist nur dem schädlich, der es ganz in seiner Gewalt hat, sich, sobald er nur will, von ihr loszureißen.

56.

Für meine Willensfreiheit ist die Willensfreiheit meines Nebenmenschen ebenso gleichgültig wie sein ganzes gei-

150 Der göttliche Geist.

stiges und leibliches Wesen; denn sind wir auch in ganz besonderem Sinne füreinander geboren, so haben doch die in uns herrschenden Kräfte je ihr eigenes Gebiet. Sonst müßte ja das Laster meines Nebenmenschen mein eigenes Laster sein, was jedoch die Gottheit nicht gewollt hat, damit nicht von der Willkür eines anderen mir ein Unglück zugefügt werden könnte.

57.

Die Sonnenstrahlen scheinen von der Sonne herabzufließen, und wiewohl sie sich überall hin ergießen, werden sie doch nicht ausgegossen. Diese Ergießung ist nämlich nur eine Ausdehnung derselben. Führen doch auch ihre leuchtenden Strahlen von dem Wort »ausgedehnt werden«[151] ihren Namen. Die Natur eines Strahls wird aber daraus ersichtlich, wenn man das Sonnenlicht, so wie es durch eine enge Öffnung in ein verdunkeltes Gemach hereinschlüpft, beobachtet. Es breitet sich nämlich in gerader Richtung aus, und wenn es auf einen dichteren, für die Luft undurchdringlichen Körper stößt, bricht es sich gleichsam; hier bleibt es dann stehen, ohne herabzugleiten oder zu fallen. So muß auch gleichsam unser Geist ausstrahlen und sich ergießen, keineswegs aber sich *ausgießen*, vielmehr nur sich ausdehnen und gegen die ihm begegnenden Hindernisse keinen gewaltsamen und stürmischen Anlauf nehmen oder herabsinken, vielmehr stehenbleiben und den Gegenstand beleuchten, der sein Licht zuläßt. Alles aber, was die Strahlen nicht durchläßt, beraubt sich selbst des Lichtes und bleibt in Finsternis.

58.

Wer sich vor dem Tode fürchtet, fürchtet sich entweder vor dem Aufhören jeglicher Empfindung oder vor einem Wechsel des Empfindens. Wenn man nun gar nichts mehr

151 Im Griechischen kommt das Wort »Strahl« von dem Zeitwort »sich ausdehnen«.

fühlt, so wird man auch kein Übel mehr fühlen; erhalten
wir aber eine andere Art des Fühlens, so werden wir auch
zu anderen Wesen und hören mithin nicht auf zu leben.

59.

Die Menschen sind füreinander da. Also belehre oder
dulde sie.

60.

Anders ist der Flug des Geschosses, anders der Flug, den
der Geist nimmt. Denn der Geist bewegt sich, mag er
nun einer Sache ausweichen oder sich bei ihrer Betrachtung aufhalten, darum doch in gerader Richtung auf sein
Ziel zu.[152]

61

Suche in das Innere jedes Menschen einzudringen; aber
gestatte auch jedem andern, in deine Seele einzudringen.

Neuntes Buch

1.

Wer unrecht handelt, ist gottlos. Denn die Allnatur hat
die vernünftigen Wesen füreinander geschaffen, um einander nach Bedürfnis zu nützen, keineswegs aber zu
schaden; wer also ihren Willen übertritt, der frevelt
offenbar gegen die ewige Gottheit. Auch wer lügt, frevelt
gegen dieselbe Gottheit. Denn die Allnatur ist das Reich
des Seienden. Das Seiende aber steht mit allem Vorhandenen in engster Verbindung. Ferner wird jene auch die
Wahrheit selbst genannt und ist tatsächlich der Urquell

152 Ein Pfeil kann durch Hindernisse aufgehalten werden, nicht der
Geist.

alles Wahren. Wer also vorsätzlich lügt, handelt gottlos, insofern er auf betrügerische Weise unrecht handelt; wer es aber unvorsätzlich tut, gleichfalls, insofern er mit der Allnatur nicht im Einklang steht und durch seinen Streit mit der Weltnatur ihre Ordnung stört. Doch auch wider sich selbst streitet ein solcher, indem er sich zum Wahrheitswidrigen hinreißen läßt. Denn er hatte bei seiner Bildung von der Natur Abneigung dagegen erhalten, durch deren Vernachlässigung er nunmehr außerstande ist, das Falsche von dem Wahren zu unterscheiden. Ferner handelt gottlos, wer den sinnlichen Genüssen als Gütern nachjagt, vor den Leiden aber, als vor Übeln, flieht. Denn notwendig kommt ein solcher oft in die Lage, sich über die allwaltende Natur zu beschweren, als teile sie den Lasterhaften und den Rechtschaffenen ihr Los nicht nach Verdienst zu; denn wie oft leben die Lasterhaften in Sinnenfreuden und verschaffen sich die Möglichkeiten dazu, während die Rechtschaffenen dem Leid und dem anheimfallen, was Leiden schafft. Zudem kann, wer sich vor Leiden fürchtet, auch nicht ohne Furcht in die Zukunft blicken, was schon gottlos ist; und wer Sinnenfreuden nachjagt, wird sich vom Unrechttun nicht fernhalten, und das ist vollends offenbare Gottlosigkeit. Wogegen sich aber der gemeinsame Natur gleichgültig verhält – sie würde aber nicht beides hervorbringen, wenn sie sich nicht gegen beides nach einerlei Regel verhielte –, demgegenüber müssen auch diejenigen, die der Natur folgen wollen, Gleichgültigkeit beweisen. Jeder nun, der gegen Leid und Freude, Tod und Leben, Ehre und Schande, deren sich die Allnatur gleichgültig bedient, sich nicht ebenfalls gleichgültig verhält, der handelt offenbar gottlos. Die gemeinsame Natur aber, sage ich, bedient sich derselben nach einerlei Regel, darunter ist zu verstehen, diese Veränderungen widerfahren der Naturordnung gemäß den jetzt wie den künftig Lebenden nach einerlei Regel, und zwar schon zufolge einer uranfänglichen Bestimmung der Vorsehung, nach der sie schon von Anfang an zu allen möglichen Veränderungen der Dinge den Grund legte, indem sie gewisse Grundstoffe der werdenden Dinge zusammenfaßte und die erzeugenden Kräfte der Substanzen selbst, ihrer Verwandlungen und ihrer derartigen Aufeinanderfolge beschloß.

2.

Das würde der vollkommenste Mensch sein, der aus dem Kreise der Menschen schiede, rein von Lügengerede, von Heuchelei, Üppigkeit und Hoffart. Der zweite Rang, nächst ihm, gebührt dem, der mit Abscheu gegen diese Dinge lieber den Geist aushauchen als in der Bösartigkeit beharren möchte. Oder ziehst du es vor, unter der Schlechtigkeit zu verkommen, und hat dich selbst die Erfahrung noch nicht gelehrt, dieser Pest zu entfliehen? Denn die Verderbnis deiner Denkkraft ist eine Pest, und zwar eine noch viel schlimmere als die Verdorbenheit der uns umgebenden Luft und der plötzliche Wechsel des Dunstkreises; denn letzterer ist nur eine Pest für tierische Wesen, insofern sie Tiere sind, jene aber für Menschen, insofern sie Menschen sind.

3.

Verachte den Tod nicht, vielmehr sieh ihm mit Ergebung entgegen, als einem Gliede in der Kette der Veränderungen, die dem Willen der Natur gemäß sind. Denn jung sein und altern, heranwachsen und mannbar werden, Zähne, Bart und graue Haare bekommen, zeugen, schwanger werden und gebären und die anderen Tätigkeiten der Natur, wie sie die verschiedenen Zeiten des Lebens mit sich bringen, sind ja dem Aufgelöstwerden gleichartig. Daher ist es die Sache eines denkenden Menschen, sich gegen den Tod weder hartnäckig noch abstoßend und übermütig zu zeigen, sondern ihm als einer der Naturwirkungen entgegenzusehen. Wie du des Augen-

blicks harrst, wo das Kindlein aus dem Schoße deiner
Gattin hervorgehen soll, ebenso sollst du die Stunde erwarten, da deine Seele aus dieser ihrer Hülle entweichen
wird. Willst du aber ein allbekanntes, herzstärkendes
Mittel anwenden, so wird der Hinblick auf die Gegenstände, von denen du dich trennen sollst, und auf die
Menschen, durch deren Sitten deine Seele nicht mehr verdorben werden wird, dich mit dem Tode vollkommen
aussöhnen. Denn du sollst zwar an den Bösen möglichst
wenig Anstoß nehmen, vielmehr für sie sorgen und sie
mit Sanftmut ertragen, indessen darfst du doch daran
denken, daß es nicht eine Trennung von gleichgesinnten
Menschen gilt. Dies allein nämlich, wenn irgend etwas,
könnte uns anziehen und im Leben festhalten, wenn es
uns vergönnt wäre, mit Menschen zusammenzuleben, die
sich dieselben Grundsätze angeeignet haben. Nun aber
siehst du ja mit eigenen Augen, wieviel Verdruß aus der
Menschen Uneinigkeit entspringt, so daß du wohl ausrufen möchtest: Komm doch schneller heran, lieber Tod,
damit ich nicht etwa noch meiner selbst vergesse!

4.

Wer sündigt, versündigt sich an sich selbst; begangenes
Unrecht fällt auf den Urheber zurück, indem er sich
selbst verschlechtert.

5.

Oft tut auch *der* Unrecht, der nichts tut; wer das Unrecht nicht verbietet, wenn er kann, befiehlt es.

6.

Genug, wenn das jedesmalige Urteil klar, die jedesmalige
Tätigkeit gemeinnützig, die jedesmalige Gemütsverfas-
sung mit allem zufrieden ist, was aus natürlichen Ursachen sich ereignet.

7.

Unterdrücke die bloße Einbildung; hemme die Leidenschaft; dämpfe die Begierde; erhalte die königliche Vernunft bei der Herrschaft über sich selbst!

8.

Den vernunftlosen Wesen ist eine Seele, den vernünftigen
aber eine denkende Seele zugeteilt, sowie es auch für alle
Erdgebilde nur *eine* Erde gibt und wir alle, die wir se-
hend und belebt sind, von *einem* Lichte sehen und *eine*
Luft einatmen.

9.

Alle Dinge, die irgend etwas Gemeinschaftliches haben,
streben zur Vereinigung hin. Was von der Erde ist, neigt
sich zur Erde, alles Feuchte und gleichermaßen alles Luftige fließt zusammen, so daß es der Gewalt bedarf, um
solche Stoffe auseinanderzuhalten. Das Feuer zwar hat
vermöge des Elementarfeuers[153] seinen Zug nach oben,
aber doch ist es zugleich geneigt, mit jedem hier befindlichen Feuer sich zu entzünden, so daß alle Stoffe, die nur
einigermaßen trocken und also weniger mit dem ge-
mischt sind, was der Entzündung wehrt, leicht in Brand
geraten. Ebenso nun, oder auch noch mehr, strebt alles,
was an der gemeinschaftlichen, vernünftigen Natur teil
hat, seinem Ursprunge zu. Denn je mehr ein Wesen über
den übrigen die Oberhand behält, um so geneigter ist es
auch, mit dem Verwandten sich zu vermengen und zu-
sammenzufließen. Bereits auf dieser Stufe vernunftloser
Wesen finden sich ja Schwärme, Herden, Fütterungsan-
stalten für die Jungen und sogar gewissermaßen Lieb-
schaften. Denn in ihnen schon wohnen Seelen und findet
sich daher auch jener Gemeinschaftstrieb in stärkerem
Grade, als er bei Pflanzen, Steinen oder Bäumen vorhan-

---

153 Darunter verstanden die Stoiker den Äther.

den ist. Bei vernünftigen Wesen aber kommt es zu Staaten, Freundschaften, Familien, gesellschaftlichen Verbindungen und im Kriege selbst zu Bündnissen und Waffenstillständen. Sogar bei noch höheren Wesen findet, trotz ihrer sonstigen Abstände voneinander, doch Einigung statt, wie bei den Gestirnen; und so kann der Aufschwung zum Höheren auch bei sonst getrennten Wesen Sympathie hervorbringen. Betrachte nun den jetzigen Gang der Dinge. Die denkenden Wesen sind es nämlich jetzt allein, die dieses Zueinanderstreben und Zusammenhalten vergessen, und bei ihnen allein ist jenes Zusammenfließen nicht ersichtlich. Und doch – mögen sie sich immerhin fliehen, sie umschließen sich dessenungeachtet. Denn die Natur behauptet ihr Herrscherrecht. Gib nur acht, und du wirst, was ich sage, bestätigt finden. Denn eher dürfte man ein Erdteilchen treffen, das von keinem andern Erdteilchen berührt wird, als einen Menschen, der von einem andern Menschen ganz abgeschieden ist.

10.

Alles trägt seine Frucht. Sowohl der Mensch als auch Gott und die Welt bringen Frucht hervor, und zwar ein jegliches zu seiner Zeit. Mag auch der herrschende Sprachgebrauch diesen Ausdruck nur beim Weinstock und bei ähnlichen Gegenständen anwenden – gleichviel. Auch die Vernunft trägt Frucht fürs Ganze und für den einzelnen. Und aus dieser Frucht gehen andere Erzeugnisse derselben Art hervor wie die Vernunft.

11.

Vermagst du es, so belehre den Fehlenden eines Bessern; wo nicht, so denke daran, daß dir für diesen Fall Nachsicht verliehen ist. Sind doch auch die Götter gegen solche nachsichtig, ja sie sind ihnen sogar zu Gesundheit, Reichtum und Ehre behilflich. So gütig sind sie! Auch dir

steht es frei, hierin den Göttern zu gleichen, oder sprich:
Wer hindert dich daran?

12.

Arbeite nicht, als wärest du dabei unglücklich, oder um
bewundert oder bemitleidet zu werden; wolle vielmehr
nur das eine, deine Kraft in Bewegung setzen oder zu-
rückhalten, so wie es das Gemeinwesen erheischt.

13.

Heute bin ich allen Hindernissen entgangen, oder richti-
ger gesprochen, habe ich alle Bedrängnisse zurückgewie-
sen; denn sie lagen ja nicht außer mir, sondern in mir, in
meinen Vorurteilen.

14.

Alles bleibt dasselbe, alltäglich in Rücksicht auf die Erfahrung, vorüberfliehend hinsichtlich der Zeit, veräch-
lich hinsichtlich des Stoffs. Alles, was jetzt ist, war
ebenso bei denen, die wir beerdigt haben.

15.

Die sinnlichen Gegenstände sind außer uns, einsam stehen sie sozusagen vor unserer Türe. Sie wissen nichts von
sich selbst, urteilen auch nicht über sich. Wer ist es denn,
der über sie urteilt? Unsere Vernunft.

16.

Nicht auf Einbildung, sondern auf sein Wirken gründet
sich das Wohl und Weh eines vernünftigen, gesellligen
Wesens, gleichwie auch Tugend und Laster bei ihm nicht
auf einem leidenden Zustande, sondern auf Tätigkeit
beruhen.

17.

Für den emporgeworfenen Stein ist es ebensowenig ein
Übel herabzufallen, wie ein Gut, in die Höhe zu
fliegen.[154]

18.

Dringe in das Innere der Menschenseelen ein, und du
wirst sehen, vor was für Richtern du dich fürchtest und
was für Richter sie über sich selbst sind.

19.

Alles im Verwandlungszustand! Auch du selbst in stetem
Wechsel, ja gewissermaßen in zunehmender Verwesung;
ebenso die ganze Welt.

20.

Das Vergehen eines andern muß man da lassen, wo es
ist.[155]

21.

Das Aufhören einer Tätigkeit, der Stillstand der Triebe
und Meinungen, schon eine Art von Tod, ist kein Übel.
Geh einmal zu deinen verschiedenen Lebensstufen über;
du wurdest Kind, Jüngling, Mann, Greis, und es war ja
auch jeder Wechsel von diesen ein Tod. Ist das etwas
Schreckliches? Denke jetzt an die Zeit zurück, die du
noch unter deinem Großvater, nachher unter deiner
Mutter und dann unter deinem Vater verlebt hast, und
wenn du nun alle Trennungen, Umwandlungen und Auf-
lösungen, die mit dir vorgegangen sind, erwägst, so frage
dich selbst: War daran etwas Schreckliches? Ebensowenig wird auch das Aufhören, der Stillstand und die
Umwandlung deines ganzen Lebens schrecklich sein.

154 Vgl. 8,20.
155 Vgl. 7,29.

22.

Forschend wende dich deiner eigenen Seele, der Seele des Weltganzen und deines Nächsten zu: deiner eigenen Seele, um ihr Sinn für Gerechtigkeit einzuflößen, der Seele des Weltganzen, um dich zu erinnern, du seiest ein Teil davon, der Seele deines Nächsten, um zu erkennen, ob derselbe unwissentlich oder wissentlich gehandelt habe, und zugleich zu bedenken, daß sie der deinigen verwandt ist.

23.

Wie du selbst als ein ergänzender Teil zur menschlichen Gesellschaft gehörst, so soll auch jede deiner Handlungen im bürgerlichen Leben eine Ergänzung bilden. Hat eine oder die andere deiner Handlungen keinen näheren oder entfernteren Bezug auf das Ziel des allgemeinen Nutzens, so bringt sie Verwirrung in dein Leben, verhindert seine Einheit und ist von so aufrührerischer Art wie ein Mensch, der in einer Volksversammlung durch seine einzelne Person die ganze Einstimmigkeit hindert.

24.

Wie Knabenzänkereien und Kinderspiele – so flüchtig sind unsere Lebensgeister, mit Leichnamen belastet. Was ist da die Totenfeier![156]

25.

Untersuche die Beschaffenheit der ursächlichen Kraft jedes Gegenstandes, denke ihn bei deiner Betrachtung von seinem Stoffe getrennt und bestimme dann die längste Zeit, die er bei seiner eigentümlichen Beschaffenheit vielleicht bestehen kann.

---

156 Da die Menschen nach Sophokles schon auf Erden flüchtige Schatten und Scheingestalten sind, so kann ihr Hingang in das Reich der Schatten, d. h. die Unterwelt, nichts Furchtbares haben.

26.

Du hast viel Not und Schmerz ertragen müssen, weil es
dir nicht genügte, daß deine Vernunft ihrer Beschaffenheit gemäß handeln sollte. Nun genug hiervon; mißbrauche sie nicht mehr.

27.

Wenn dich jemand schmäht oder haßt oder man aus solch
einem Grunde allerlei Gerüchte von dir aussprengt, so
tritt den Seelen dieser Leute näher, dringe in ihr Inneres
ein und sieh, wie sie geartet sind, und du wirst finden,
daß du dich nicht zu beunruhigen brauchst, wenn solche
Leute so von dir urteilen. Dennoch aber bist du ihnen
Wohlwollen schuldig; denn von Natur sind sie deine
Freunde und Nächsten, und auch die Götter sind ihnen
in allerlei Weise, zum Beispiel durch Träume[157] und
durch Orakelsprüche, zu dem behilflich, woran ihnen so
viel gelegen ist.

28.

Aufwärts, niederwärts, alles in der Welt ist in demselben
Kreislauf von Jahrhundert zu Jahrhundert. Entweder ist
nun die Vernunft des Weltganzen bei jeder Veränderung
wirksam, und wenn sie dies ist, so sei dir, was sie hervor-
treibt, willkommen, oder sie hat sich nur ein für allemal
schöpferisch erzeigt, das übrige aber ist nach einer notwendigen Aufeinanderfolge gewissermaßen eines in dem
andern begründet und enthalten; oder das Ganze ist nur
ein Gewirr von Atomen oder unteilbaren Teilchen. Kurz,
gibt es einen Gott, so steht alles gut; herrscht aber das
Ungefähr, so folge *du* doch keinem blinden Ungefähr.
Bald wird die Erde uns alle bedecken; hierauf wird auch
sie selbst sich verwandeln und so fort bis ins Unendliche.
Denn wer diese übereinanderwogenden Fluten von Ver-

157 Es war ein Aberglaube der Heiden, daß ihnen bei Krankheiten die
Götter im Traume ein Heilmittel offenbarten.

wandlungen und Veränderungen mit ihrer reißenden Schnelligkeit erwägt, der wird alles Sterbliche gering achten.

29.

Die Urkraft des Weltganzen ist wie ein gewaltiger Strom, der alles mit sich fortreißt. Wie unbedeutend sind selbst diejenigen Staatsmänner, die die Geschäfte nach den Regeln der Weltweisheit zu lenken wähnen! O Eitelkeit! Was willst du, Mensch? Tue doch, was gerade jetzt die Natur von dir fordert. Wirke, solange du kannst, und blicke nicht um dich, ob's einer auch erfahren wird. Hoffe auch nicht auf einen platonischen Staat,[158] sondern sei zufrieden, wenn es auch nur ein klein wenig vorwärts geht, und halte auch einen solchen kleinen Fortschritt nicht für unbedeutend. Denn wer kann die Grundsätze der Leute ändern? Was ist aber ohne eine Änderung der Grundsätze anders zu erwarten als ein Knechtsdienst unter Seufzen, ein erheuchelter Gehorsam? Und nun komm und sprich mir von einem Alexander, Philipp[159] und Demetrius von Phalerum.[160] Wie steht's damit, ob sie den Willen der Allnatur erkannt haben und ihre eigenen Erzieher geworden sind? Haben sie aber nur eine Schauspielerrolle gespielt, so verdammt mich niemand dazu, sie ihnen nachzuspielen. Die Philosophie lehrt mich Einfachheit und Bescheidenheit; fort mit vornehmtuender Aufgeblasenheit!

30.

Wie von einer Anhöhe aus betrachte die unzähligen Volkshaufen mit ihren unzähligen Religionsgebräuchen,

158 Vgl. Platos gleichnamiges Werk. Dieser Idealstaat sollte die vollkommenste Vereinigung der Menschen unter dem Gesetze der Vernunft sein, worin Sittlichkeit und Glückseligkeit in der vollkommensten Harmonie angetroffen würden.
159 Philipp von Mazedonien.
160 Demetrius, geb. 345, ausgezeichnet als Redner, Staatsmann und Philosoph, eine Zeitlang der Abgott der wankelmütigen Athener.

die Seefahrten nach allen Richtungen unter Stürmen und
bei ruhiger See und die Verschiedenheiten zwischen den
werdenden, mit uns lebenden und dahinschwindenden
Wesen. Betrachte auch die Lebensweise, wie sie vormals
herrschend war, wie sie nach dir sein wird und wie sie
jetzt unter unkultivierten Völkerschaften herrscht. Ferner, wie viele nicht einmal deinen Namen kennen, wie
viele ihn gar bald vergessen, wie viele, jetzt vielleicht
deine Lobredner, nächstens deinen Tadel anstimmen
werden, und wie weder der Nachruhm noch das Ansehen noch sonst etwas von allem, was dazu gehört, Beachtung verdient.

31.

Zeige Gemütsruhe den Dingen gegenüber, die von äußeren Ursachen herkommen, und Gerechtigkeit bei denen,
die von deiner eigenen Tatkraft bewirkt werden, das
heißt, dein Streben und Tun soll kein anderes Ziel haben
als das allgemeine Beste; denn das ist deiner Natur
gemäß.

32.

Viele unnötige Anlässe zu deiner Beruhigung, die nur auf
deiner falschen Vorstellung beruhen, kannst du aus dem
Weg schaffen und dir selbst unverzüglich einen weiten
Spielraum eröffnen; umfasse nur mit deinem Geiste das
ganze Weltall, betrachte die ewige Dauer und dann wieder die rasche Verwandlung jedes einzelnen Gegenstandes; welch kurzer Zeitraum liegt zwischen der Entstehung und Auflösung der Geschöpfe; wie unermeßlich ist
die Zeit, die ihrer Entstehung voranging, wie unendlich
gleicherweise die Zeit, die ihrer Auflösung folgen wird!

33.

Alles, was du siehst, wird sich bald verändern, und die,
welche diesen Veränderungen zuschauen, werden selbst

auch sehr bald vergehen, und derjenige, der in einem
hohen Alter stirbt, wird vor einem Frühverstorbenen
nichts voraus haben.

34.

Sieh stets auf die herrschenden Grundsätze der Menschen, auf die Gegenstände ihrer Bemühungen und die
Beweggründe ihrer Zuneigung und Wertschätzung, mit
einem Wort, suche ihre Gemüter ohne alle Hülle zu erkennen. Wenn sie glauben, durch ihren Tadel zu schaden
oder durch ihre Lobpreisungen zu nützen, welch ein
Wahn!

35.

Ein Verlust ist weiter nichts als eine Umwandlung, und
darin findet die Allnatur Vergnügen, sie, die alles mit so
großer Weisheit tut, von Ewigkeit her gleicherweise tat
und ins Unendliche so tun wird. Wie kannst du nun
sagen, alles, was auch geschehen sei oder immer geschehen werde, sei schlecht und folglich unter so vielen Göttern nie ein Vermögen aufzufinden gewesen, um diese
Zustände zu verbessern, vielmehr sei die Welt verdammt,
in den Banden unaufhörlicher Übel zu verharren?

36.

Der Stoff jedes Gegenstandes ist Fäulnis: Wasser, Staub,
Knochen, Unflat. Die Marmorbrüche sind nur Verhär-
tungen der Erde, Gold und Silber nur Bodensatz, unsere
Kleidung Tierhaare, Purpur Blut, und so verhält sich's
mit allem übrigen. Selbst der Lebensgeist gehört in diese
Klasse, weil auch er einer steten Umwandlung unterworfen ist.

37.

Genug des elenden Lebens, des Murrens und des lächerlichen Benehmens. Was beunruhigt dich? Was findest du

hier so unerhört? Was macht dich ängstlich? Die ursächliche Kraft der Dinge? Beobachte sie nur! Aber vielleicht
der Stoff? Besieh ihn nur! Außer diesen aber gibt es ja
nichts. Sei also doch endlich einmal argloser und freund-
licher gegen die Götter! Ist es ja einerlei, ob du hundert
oder nur drei Jahre lang den Lauf der Welt betrachtest.

38.

Hat jemand sich vergangen, so ist das sein Schade; vielleicht aber hat er sich nicht einmal vergangen.[161]

39.

Entweder ist *ein* denkendes Wesen die Urquelle, von der
dem ganzen Weltall, als einem Körper, alles zuströmt,
und alsdann darf sich der Teil über dasjenige, was zum
Nutzen des Ganzen geschieht, nicht beklagen, oder das
All ist ein Gewirr von Atomen, eine zufällige Mischung
und dann wieder Trennung; wozu dann deine Unruhe?
Sprich eben zu deiner Seele: Du bist tot, bist nur Schein
und Verwesung, denkst nur wie ein Tier, deinen Hunger
zu stillen und deine Bedürfnisse zu befriedigen.

40.

Entweder vermögen die Götter nichts, oder sie vermögen
etwas. Wenn sie nun nichts vermögen, warum betest du?
Sind sie aber mächtig, warum flehst du sie nicht, statt um
Abwendung dieses oder jenes Übels oder um Verleihung
dieses oder jenes Gutes, vielmehr um die Gabe an, nichts
von alle dem zu fürchten oder zu begehren oder darüber
zu trauern? Denn wenn sie überhaupt den Menschen zu
helfen vermögen, so können sie auch dazu verhelfen.
Aber vielleicht entgegnest du: Das haben die Götter in
meine Macht gestellt. Nun, ist es da nicht besser, das, was
in deiner Macht steht, mit Freiheit zu gebrauchen, als zu

---

161 Wir sollen also nicht vorschnell über unsere Nebenmenschen urteilen.

dem, was nicht in deiner Macht steht, mit sklavischer
Erniedrigung dich hinreißen zu lassen? Wer hat dir denn
aber gesagt, daß die Götter uns in dem, was von uns
abhängt, nicht zu Hilfe kommen? Fange doch nur einmal
an, um solche Dinge zu beten, und du wirst sehen. Der
fleht: Wie erlange ich doch die Gunst jener Geliebten?
Du: Wie entreiße ich mich dem Verlangen danach? Der:
Wie fange ich's an, um von jenem Übel frei zu werden?
Du: Wie fange ich's an, um der Befreiung davon nicht zu
bedürfen? Ein anderer: Was ist zu tun, daß ich mein
Söhnchen nicht verliere? Du: Was ist zu tun, daß ich
seinen Verlust nicht fürchte? Mit *einem* Wort: Gib allen
deinen Gebeten eine solche Richtung, und du wirst den
Erfolg sehen.

41.

Während meiner Krankheit, sagt Epikur, unterhielt ich
mich nicht über meine körperlichen Leiden, auch sprach
ich nicht mit denen, die mich besuchten, davon; vielmehr
setzte ich meine früher angefangenen Naturforschungen
fort und beschäftigte mich hauptsächlich mit der Frage,
wie die denkende Seele, trotz ihrer Teilnahme an den
Empfindungen des Körpers, unerschütterlich bleiben
und das ihr eigentümliche Gut bewahren könne. Auch
gab ich, fährt er fort, den Ärzten keine Veranlassung, sich
damit zu brüsten, als hätten sie wunder was an mir getan;
vielmehr führte ich auch damals ein gutes und heiteres
Leben. Tue es ihm nur nach in Krankheitsfällen und in
allen Lagen des Lebens. *Den* Grundsatz haben ja alle
Schulen gemein, bei allen möglichen Vorkommnissen der
Philosophie nicht untreu zu werden und in das Ge-
schwätz unwissender, der Natur unkundiger Menschen
nicht einzustimmen, vielmehr nur auf das, was gerade
jetzt zu tun ist, und die zu dessen Ausführung dienlichen
Hilfsmittel achtzuhaben.

42.

So oft du an der Unverschämtheit jemandes Anstoß
nimmst, frage dich sogleich: Ist es auch möglich, daß es
in der Welt keine unverschämten Leute gibt? Das ist
nicht möglich. Verlange also nicht das Unmögliche. Jener
ist eben einer von den Unverschämten, die es in der Welt
geben muß. Dieselbe Frage sei dir zur Hand hinsichtlich
der Schlauköpfe, der Treulosen und jedes Fehlenden.
Denn sobald du dich daran erinnerst, daß das Dasein von
Leuten dieses Gelichters nun einmal nicht zu verhindern
ist, wirst du auch gegen jeden einzelnen derselben milder
gesinnt werden. Auch das frommt, wenn man sogleich
bedenkt, welche Tugend die Natur dem Menschen diesen
Untugenden gegenüber verliehen hat. So verlieh sie ja
dem Rücksichtslosen gegenüber, als eine Art Gegengift,
die Sanftmut, und wider einen andern eine andere Ge-
genkraft, und im ganzen steht es in deiner Gewalt, den
Irrenden den rechten Weg zu zeigen. Jeder Fehlende aber
irrt, insofern er sein Ziel verfehlt. Und nun, welchen
Nachteil hast du dadurch erlitten? Du wirst finden, daß
keiner von denen, über die du dich so sehr ereiferst,
durch irgendeine seiner Übeltaten deine denkende Seele
hat verschlechtern können, vielmehr haben eben in dieser
dein Übel und dein Schaden ihren vollen Grund. Wenn
aber ein ungebildeter Mensch eben wie ein Ungebildeter
sich beträgt, was ist denn Schlimmes oder Seltsames
daran? Sieh zu, ob du nicht vielmehr dich selbst anklagen
solltest, daß solch ein fehlerhaftes Benehmen von diesem
Menschen dir so unerwartet kam. Gab dir ja doch deine
Vernunft Anlaß genug zu dem Gedanken, daß es wahrscheinlich sei, er werde sich so vergehen, und dennoch
vergaßest du das und wunderst dich jetzt, daß er sich
vergangen hat. Besonders aber, so oft du dich über Treu-
losigkeit und Undank von jemand zu beschweren hast,
richte deinen Blick auf dein eigenes Innere. Denn offenbar liegt hier der Fehler auf deiner Seite, wenn du einem

Menschen von dieser Gesinnung zutrautest, daß er sein
Wort halten werde, oder wenn du ihm nicht ohne allerlei
Nebenabsichten eine Wohltat erzeigtest und nicht vielmehr in dem Gedanken, daß du von deiner Handlung
selbst schon alle Frucht eingeerntet habest. Denn was
willst du noch weiter, wenn du einem Menschen eine
Wohltat erwiesen hast? Genügt es dir nicht, daß du deiner Natur gemäß etwas getan hast, sondern verlangst du
noch eine Belohnung dafür? Als ob das Auge dafür, daß
es sieht, oder die Füße dafür, daß sie gehen, einen Lohn
fordern könnten! Denn wie diese Glieder dazu geschaffen sind, daß sie im Vollzug ihrer natürlichen Verrichtungen ihren Zweck erfüllen, so erfüllt auch der Mensch,
zum Wohltun geboren, so oft er eine Wohltat erweist
oder etwas für den allgemeinen Nutzen Förderliches leistet, seinen natürlichen Zweck und empfängt damit das
Seinige.

Zehntes Buch

1.

O meine Seele! Wirst du denn nicht endlich einmal gut
und lauter und einig mit dir selbst? Wann wirst du sicht-
barer werden als der dich umhüllende Leib? Willst du
nicht endlich einmal das Glück genießen, die Menschen
zu lieben und zu erfreuen? Wirst du nicht endlich einmal
zu einer bedürfnislosen Befriedigung auch in dir selbst
gelangen, wo du zum Freudengenusse nichts mehr verlangst noch begehrst, sei es etwas Lebendiges oder Leb-
loses, weder mehr an Zeit, um länger noch zu genießen,
noch in einem anderen Raum in einer andern Gegend zu
sein, eine reinere Luft zu atmen und mit umgänglicheren
Menschen zu verkehren; vielmehr mit deiner jedesmali-

gen Lage zufrieden, an allem, was dir die Gegenwart bringt, dich freust und dich überzeugt hältst, daß dir alles zu Gebot steht, alles zu deinem Wohle gereicht und von den Göttern herrührt und alles zu deinem Besten dienen wird, was diesen gefällt und was sie nur zum Heile des vollkommenen, guten, gerechten und schönen Wesens[162] geben werden, das alles erzeugt, zusammenhält, umfaßt und umgibt, was zur Erzeugung anderer Wesen derselben Art sich auflöst? Wirst du es nicht endlich einmal durch seine Beschaffenheit zu einem solchen Verhältnis mit den Göttern und Menschen bringen, daß du weder über sie Beschwerde führst noch auch von ihnen verurteilt wirst?

2.

Beachte genau, was deiner Natur gemäß ist, insofern sie unter der Alleinherrschaft der Naturgesetze steht. Erfülle dann diese Forderungen und laß sie gewähren, wofern die Verfassung deiner animalischen Natur dadurch nicht verschlimmert wird. Sofort mußt du achthaben, was diese deine animalische Natur verlangt, und alles das ihr vergönnen, vorausgesetzt, daß der Zustand deiner vernünftigen Natur dadurch nicht verschlimmert wird. Das Vernünftige aber ist zugleich auch ein bürgerlich Geselliges. Befolge denn diese Grundsätze und mache dir über nichts mehr Sorge.

3.

Entweder hast du von Natur Kraft genug, jedes dir begegnende Geschick zu ertragen, oder dies ist dir unmöglich. Trifft dich nun ein Schicksal, so sei darüber nicht ungehalten, sondern brauche deine natürliche Kraft, um es zu ertragen. Übersteigt es aber deine natürliche Kraft, so sei doch nicht unwillig; denn nachdem es dich ver-

162 Welt und Gott waren bei den Stoikern identisch.

zehrt hat, wird es selbst aufgerieben werden. Denke jedoch daran, daß du von Natur die Kraft hast, alles zu
ertragen, was dir erträglich und leidlich zu machen von
deinem eigenen Urteil abhängt, vermöge der Vorstellung,
daß es dir fromme oder gebühre, also zu handeln.

4.

Irrt jemand, so belehre ihn mit Wohlwollen und zeige
ihm seine Fehler mit Sanftmut. Vermagst du das aber
nicht, so klage dich selbst an oder auch dich selbst nicht
einmal.

5.

Alles, was dir widerfahren mag, war dir von Ewigkeit her
so bestimmt, und die Verkettung der Ursachen hat von
Anfang an dein Dasein und dieses dein Geschick miteinander verknüpft.

6.

Mag man nun die Welt als ein Gewirr von Atomen oder
ein geordnetes Ganzes ansehen, so steht doch so viel fest:
ich bin ein Teil des Ganzen, das unter der Herrschaft der
Natur steht; und zugleich bin ich notwendig mit allen
mir gleichartigen Teilen in engem Zusammenhang. Denn
jenes ersten Grundsatzes eingedenk, werde ich mit nichts
unzufrieden sein, was mir als einem Teile vom Ganzen
zugeteilt wird; kann ja doch nichts dem Teile schädlich
sein, was dem Ganzen zuträglich ist; denn das Ganze
enthält nichts, was nicht ihm selbst zuträglich wäre. Es
gibt nichts im Weltsystem, was nicht dem Weltsystem
diente. Dies haben alle Naturwesen miteinander gemein,
und die Weltnatur hat noch den weiteren Vorzug, daß sie
durch nichts von außen her gezwungen werden kann,
etwas ihr selbst Schädliches zu erzeugen.[163] Denke ich

---

163 Weil es außer der Welt nichts gibt.

also nur daran, daß ich ein Teil eines solchen Ganzen bin, so werde ich mit allem, was sich ereignet, zufrieden sein. Sofern ich aber mit den mir gleichartigen Teilen in enger Verbindung stehe, werde ich nichts gegen das Gemeinwohl tun, vielmehr werde ich, mit steter Rücksicht auf meine Mitmenschen, mein Streben ganz auf das allgemeine Beste richten und vom Gegenteil ablenken. Bei solcher Ausführung dieser Vorsätze muß mein Leben glücklich dahinfließen, so glücklich, wie der Wahrnehmung nach das Leben eines Bürgers dahinfließt, der von einer seine Mitbürger beglückenden Tat zur andern fortschreitet und alles, was ihm der Staat nur auferlegt, mit Freuden übernimmt.

7.

Alle Teile des Universums, das heißt alles, was die Welt in sich begreift, müssen notwendig zerstört oder, mit einem bezeichnenden Ausdrucke, umgewandelt werden. Wäre nun dies für sie von Natur ein Übel, und zwar ein notwendiges Übel, so hätte das Weltall bei dem steten Übergang seiner Teile zur Veränderung und ihrer vorherrschenden Bestimmung zur Zerstörung keine weise Einrichtung erhalten. Sollte aber wohl die Allnatur selbst die Einrichtung getroffen haben, ihren eigenen Teilen Übles zuzufügen, ja, sie nicht nur ins Übel zu stürzen, sondern diesen ihren Sturz sogar notwendig zu machen? Oder sollte es ihr verborgen geblieben sein, daß so etwas eintreten wird? Beides ist ja unglaublich. Doch wenn jemand, von der Allnatur absehend, diese Umwandlungen bloß aus der natürlichen Einrichtung der Dinge herleiten wollte, so wäre es bei alle dem lächerlich, einerseits zu behaupten, daß die Teile des Ganzen vermöge ihrer natürlichen Anlage sich verwandeln müssen, und anderseits über manches Ereignis als naturwidrig sich zu verwundern oder zu ärgern, zumal da die Auflösung in diejenigen Teile erfolgt, aus denen jedes Ding entstanden ist, sei

diese nun eine Zerstäubung der Grundstoffe, woraus
dasselbe zusammengesetzt ward, oder ein Übergang zum
Beispiel der festen Teile in das Erdige, der geistigen in das
Luftige, so daß auch diese in den Keimstoff des Weltganzen aufgenommen wurden, mag nun dieser nach einem
bestimmten Kreislauf der Zeit in Feuer auflodern oder
sich durch ewige Umgestaltungen wieder erneuern.
Denke aber nicht etwa, daß jene festen und geistigen
Teile deiner auflösbaren Konstitution von Geburt an dir
ankleben, vielmehr ist dir ja dieses alles erst von gestern
oder vorgestern durch die Speisen und durch die einge-
atmete Luft zugeflossen. Nur das mithin, was auf solche
Art deine Natur angenommen, nicht aber das, was von
der Mutter Natur dir angeboren ist, wird umgewandelt.
Wolltest du aber auch vorgeben, daß diese jenes mit deiner besonderen Eigentümlichkeit so eng verflochten
habe, so halte ich dies Vorgehen in der Tat für einen
nichtigen Einwurf gegen das Gesagte.

8.

Hast du dir einmal die Namen: gut, bescheiden, wahr-
haftig, verständig, gleichmütig, hochherzig erworben, so
habe acht, daß du nie die entgegengesetzten Bezeichnun-
gen verdienst, und solltest du diese Namen je verlieren,
so eigne sie dir ungesäumt wieder an. Bedenke aber, daß
das Wort »klug« bedeutet, alles sorgfältig und genau zu
prüfen, »gleichmütig«: willig das anzunehmen, was dir
von der Allnatur zugeteilt wird; edelmütig bedeutet die
Erhebung deines denkenden Teiles über jede leise oder
unsanfte Erregung des Fleisches, sowie über den nichtigen Ruhm, den Tod und alles andere der Art. Wenn du
dich nun im Besitz jener Ehrennamen behauptest, ohne
jedoch danach zu verlangen, daß andere dich nach ihnen
benennen, so wirst du ein ganz anderer Mensch werden
und ein ganz anderes Leben beginnen. Denn immer noch
so zu bleiben, wie du bisher gewesen bist, und in einem

solchen Leben dich herumzerren und verunglimpfen zu lassen, wäre die Art eines Menschen, der ganz stumpfsinnig am Leben hinge, gleich jenen halbzerfleischten Tierkämpfern, die, mit Wunden und Eiter bedeckt, dennoch für den morgenden Tag aufgehoben zu werden flehen, obgleich sie doch denselben Nägeln und Bissen in gleichem Zustand vorgeworfen werden müssen. Arbeite dich also in den Kreis jener wenigen Namen ein, und wenn du dich in ihrem Besitze behaupten kannst, so bleibe hier, als wärest du gleichsam auf die Inseln der Seligen[164] versetzt. Merkst du aber, daß du aus ihrem Besitze fällst und nicht obsiegst, so ziehe dich mit Mut in irgendeinen Winkel zurück, wo du dich behaupten kannst, oder scheide lieber ganz aus diesem Leben,[165] ohne zu zürnen, vielmehr mit geradem, freiem und gelassenem Sinne, nachdem du das eine in diesem Leben bewerkstelligt hast, so aus ihm zu gehen. Um jedoch jener Namen eingedenk zu bleiben, wird für dich der Gedanke an die Götter sowie daran ein kräftiges Hilfsmittel sein, daß diese von allen vernünftigen Wesen keine Schmeichelei, sondern ihnen ähnlich zu werden verlangen, und daß, gleichwie nur das ein Feigenbaum ist, was die Bestimmung eines Feigenbaumes, und das nur ein Hund oder eine Biene, was die Bestimmung eines Hundes oder einer Biene erfüllt, so auch der nur ein Mensch sei, der die Tätigkeit eines Menschen zeigt.

9.

Mimenspiel, Krieg, Schrecken, Erschlaffung, Knechtssinn können jene heiligen Wahrheiten täglich wieder bei dir auslöschen und die Ideen, die du dir gebildet, entreißen, wenn du nicht die Natur studierst. Man muß vielmehr alles so beobachten und betreiben, daß zugleich die

---

164 Oder elysäische Gefilde nach der alten Mythologie; hierher kamen die Seelen derjenigen, die tugendhaft gelebt hatten.
165 Marc Aurel meint, lieber tot als moralisch herabgewürdigt.

praktische Urteilskraft vervollkommnet und die theoretische Vernunft in Tätigkeit gesetzt und die Zuversicht erhalten wird, die, aus allumfassender Einsicht stammend, zwar geheim, aber doch nicht verborgen bleiben kann. Denn alsdann wirst du deines geraden Sinnes, alsdann deiner Würde froh werden und erkennen, was jegliches Ding seinem Wesen nach ist, welche Stelle es in der Welt einnimmt, wie lange es seiner Anlage nach fortdauern wird, aus welchen Teilen es besteht, wem es zufallen, wer es geben und rauben kann.

10.

Eine kleine Spinne ist stolz darauf, wenn sie eine Fliege erjagt hat, mancher Mensch, wenn er ein Häschen, ein anderer, wenn er in seinem Netz einen kleinen Fisch, ein anderer, wenn er Eber oder Bären, und noch ein anderer, wenn er Sarmaten[166] fängt. Sind denn aber diese, wenn man dabei die Triebfedern untersucht, nicht insgesamt Räuber?

11.

Lerne die Art der Verwandlung aller Dinge ineinander wissenschaftlich untersuchen, sei hierauf beständig aufmerksam und übe dich stets in dergleichen Betrachtungen. Denn nichts macht die Seele größer als dieses. Wer dies besitzt, der hat seinen Leib schon abgestreift, und wenn er bedenkt, daß er in nicht gar langer Zeit dieses alles verlassen und aus dem Menschenleben scheiden muß, so überläßt er sich in betreff dessen, was von ihm geleistet wird, ganz allein der Rechtschaffenheit, in betreff seiner Schicksale aber der Allnatur. Was aber andere von ihm sagen oder urteilen oder ihm zuwider tun mögen, das läßt er sich nicht anfechten; denn mit den zwei Punkten, nämlich das Rechte zu tun, was er jetzt zu tun

166 Mit den Sarmaten (ansässig nördlich des Schwarzen Meeres) führten die Römer damals Krieg.

hat, und in Liebe hinzunehmen, was ihm jetzt zugeteilt wird, zufrieden, läßt er alle anderen Geschäfte und Bestrebungen fahren und will nichts weiter als auf dem Pfade des Gesetzes in gerader Richtung zum Ziele schreiten und also der Gottheit folgen, die gleichfalls in gerader Richtung ihr Ziel verfolgt.

12.

Wozu die Besorglichkeit? Steht es ja bei dir, zu untersuchen, was im Augenblick zu tun ist, und wenn du das einsiehst, wohlwollend und festen Schrittes diesen Weg zu wandeln; fehlt dir aber diese Einsicht, alsdann stehenzubleiben und bei den Besten dir Rat zu holen; sollten sich aber auch noch andere Schwierigkeiten dagegen erheben, den vorhandenen Mitteln gemäß mit Überlegung und fester Anhänglichkeit an das, was dir als recht erscheint, vorwärtszugehen. Dies ist das beste, was du tun kannst, während es zu verfehlen bedauerlich ist. Ruhig und doch zugleich leicht beweglich, heiter und doch zugleich gesetzt – so ist der Mann, der in allem der Vernunft folgt.

13.

Sobald du aus dem Schlaf erwachst, frage dich selbst: Betrifft es mich eigentlich, wenn ein anderer tut, was recht und gut ist? Nichts weniger![167] Hast du's etwa vergessen, was diejenigen, die sich mit ihren Lobsprüchen und ihrem Tadel über andere brüsten, auf ihrem Lager oder bei Tische für Leute sind, was sie alles tun, was sie meiden, wonach sie streben, was sie heimlich oder gewaltsam rauben, nicht mit Händen und Füßen, sondern mit dem kostbarsten Teile ihres Wesens, mit einem Teile, aus dem, wenn mancher wollte, Treue, Bescheidenheit, Wahrheit, Gerechtigkeit, ein guter Genius hervorgehen könnte?

167 Die Gedanken anderer rechneten die Stoiker zu den gleichgültigen Dingen.

14.

Der gebildete und bescheidene Mensch sagt zu der alles spendenden und wieder nehmenden Natur: Gib, was du willst, und nimm, was du willst; doch sagt er dies nicht mit trotzigem Sinne, sondern mit Gehorsam und Gelassenheit.

15.

Nur klein noch ist der Rest deines Lebens. Lebe wie auf einem Berge![168] Es liegt ja nichts daran, ob einer hier oder dort, wenn er nur überall in der Welt wie in seiner Vaterstadt lebt. Die Leute sollen in dir einen wahren, der Natur gemäß lebenden Menschen sehen und erkennen. Können sie dich so nicht vertragen, nun, so mögen sie dich töten; denn es ist besser zu sterben als wie sie zu leben.

16.

Es kommt nicht darauf an, über die notwendigen Eigenschaften eines guten Mannes dich zu besprechen – vielmehr ein solcher zu sein.

17.

Denke öfters an die Ewigkeit und die ganze Weltmasse und daran, daß jedes Einzelwesen, mit dem All verglichen, als ein Feigenkörnchen, und, verglichen mit der unendlichen Zeit, als ein Augenblick erscheint, in dem man einen Bohrer umdreht.[169]

18.

Jedes Sinnenwesen, das du betrachtest, stelle dir als schon in Auflösung, Verwandlung, gleichsam Verwesung

---

168 Hier hat man freie Aussicht. Vgl. Matth. 5,14: Ihr seid das Licht der Welt. Es kann die Stadt, die auf einem Berge liegt, nicht verborgen sein.
169 Ein Bohrer läßt sich ohne Ende herumdrehen.

oder Zerstreuung begriffen vor; bedenke, daß jedes Ding nur geboren ist, um zu sterben.

19.

Was sind die Menschen, die nur essen, schlafen, sich begatten, ausleeren und nur tierische Funktionen verrichten? Und was, wenn sie die Herren spielen, stolz einhergehen, sich ungehalten gebärden und von ihrer Höhe herab mit Scheltworten um sich werfen? Welchen Menschen frönten sie noch vor kurzer Zeit und um welchen Lohn? Und was wird aus ihnen nach einer kleinen Weile werden?

20.

Was die Allnatur jedem zuträgt, ist ihm zuträglich, und gerade dann zuträglich, wann sie es zuträgt.

21.

»Den Regen liebt die Erde, ihn liebt auch der hehre Luftkreis.«[170] Die Erde liebt zu tun, was geschehen soll. Daher sage ich zur Erde: Ich liebe, was du liebst. Ist's so nicht auch eine gewöhnliche Redensart: Das pflegt gerne zu geschehen?

22.

Entweder lebst du hier fort und bist alsdann schon daran gewöhnt, oder du gehst fort von hier und wolltest dann eben das, oder du stirbst, und dann hast du deine Aufgabe erfüllt. Ein Viertes aber gibt es nicht. Sei also nur guten Muts!

23.

Immer halte dir vor Augen, daß dies Stück Erde auch ein Stück Erde sei, und daß du hier eben dasselbe findest,

170 Eine Stelle aus Euripides.

was jene, die auf dem Gipfel eines Berges oder am See-
gestade, oder wo du sonst willst, leben.[171] Du wirst Platos Wort bestätigt finden, magst du nun vom Stalle eines
Hirten, der auf dem Gebirge seine Herde melkt, oder
von einer Stadtmauer umschlossen sein.

24.

Was ist das Herrschende in mir? und was mache ich jetzt
selbst aus ihm? oder wozu bediene ich mich jetzt seiner?
Ist es einsichtsleer? oder von der Gemeinschaft getrennt
und abgerissen? oder so an das elende bißchen Fleisch
gekettet und mit ihm verschmolzen, daß es alle seine
Bewegungen teilen muß?

25.

Wer seinem Herrn entläuft, der ist ein Ausreißer. Ein
Herr ist auch das Gesetz; wer also dawider handelt, ist
ein Ausreißer. So auch, wer sich betrübt, mit seinem
Schicksal unzufrieden ist, fürchtet. Denn er will nicht,
daß geschehen sei oder geschehen soll, was doch der All-
gebieter, das Gesetz, angeordnet hat, der für jeden fest-
setzt, was ihm zukommt. Mithin ist der Furchtsame,
Niedergeschlagene oder Aufgebrachte ein Ausreißer.

26.

Wenn man dem Mutterschoße den Samen anvertraut hat,
geht man davon; nachher nimmt eine andere wirkende
Kraft ihn auf, verarbeitet ihn und vollendet die Bildung
des Kindes. Welch ein Wesen aus welch kleinem Anfang!
Wieder schluckt die Mutter durch den Schlund Speise
nieder, nachher nimmt diese eine andere wirkende Kraft
auf und bereitet daraus Empfindung, Trieb und überhaupt Leben und Stärke und wer weiß, wie viele und

---

171 Wohin ich auch gehe, sagt Epiktet, es gibt überall eine Sonne, einen
Mond, Gestirne, Träume für den Schlaf, Vögel und die Allgegenwart
Gottes.

welcherlei Dinge sonst! O wunderbare Wirkung der Natur! Betrachte nun diese so verborgenen Wirkungen und lerne die hierbei tätige Kraft kennen, wie wir auch die Kraft, vermöge der die Körper sich senken oder in die Höhe fahren, zwar nicht mit Augen, aber doch nicht minder anschaulich erkennen.

27.

Erwäge beständig, daß alles, wie es jetzt ist, auch ehemals war, und daß es immer so sein wird. Stelle dir alle die gleichartigen Schauspiele und Auftritte, die du aus deiner eigenen Erfahrung oder aus der Geschichte kennst, vor Augen, zum Beispiel den ganzen Hof Hadrians, den ganzen Hof Antonins, den ganzen Hof Philipps, Alexanders, des Krösus. Überall dasselbe Schauspiel, nur von anderen Personen aufgeführt.

28.

Ein Mensch, der irgend worüber Trauer oder Unwillen empfindet, verfährt etwa wie ein Schwein, das an der Schlachtbank ausschlägt und ein Geschrei erhebt. Von ähnlicher Art ist auch der, der auf seinem einsamen Lager in der Stille unser menschliches Verhängnis bejammert. Denke doch daran, daß es dem vernünftigen Wesen allein verliehen worden ist, dem, was geschieht, freiwillig zu folgen; schlechthin aber sich darein zu schicken, ist für alle eine Notwendigkeit.

29.

Bei der Prüfung jedes einzelnen Gegenstandes, womit du zu tun hast, frage dich selbst: Ist der Tod etwas Schreckliches, weil er dich dieses Dinges beraubt?

30.

So oft du am Fehltritt eines andern Anstoß nimmst, geh sogleich in dein Inneres und überlege, welchen ähnlichen

Fehler du begehst, wenn du zum Beispiel Geld, Sinnenlust oder eiteln Ruhm und dergleichen für ein Gut hältst.
Denn sobald du dies erwägst, wirst du deinen Zorn vergessen, zumal wenn es dir dabei noch einfällt, daß jener
gezwungen wird, also zu handeln. Denn was kann er
tun? Kannst du's aber, so befreie ihn von dem, was Gewalt über ihn hat.

31.

Siehst du Satyrio, den Sokratiker, so stelle dir den Euty-
ches oder Hymenes vor; siehst du den Euphrates[172], so
denke an Eutychio oder Silvanus[173] und auch an Alci-
phron und Tropäophorus, und bei Xenophons Anblick
falle dir Kriton oder Severus[174] ein, und indem du auf
dich selbst zurückschaust, stelle dir einen andern Kaiser
vor, du findest immer etwas Ähnliches. Dann stelle dir
zugleich die Frage: Wo sind nun jene? Nirgends oder wer
weiß, wo? Denn auf diese Art wird dir alles Menschliche
stets nur als ein Rauch, als ein wahres Nichts erscheinen,
zumal wenn du dich zugleich daran erinnerst, daß das,
was sich einmal verwandelt hat, in der unendlichen Zeit
nicht mehr sein wird. Wie lange also du noch? Aber
warum genügt es dir nicht, diese kurze Lebenszeit geziemend hinzubringen? Warum versäumst du Zeit und Gelegenheit? Denn was sind alle diese Gegenstände um dich
her anders als Übungsmittel für die Vernunft, die alles im
Leben mit gründlichem Naturforscherblick ansieht? Ver-
weile also bei ihnen, bis du sie dir völlig zu eigen gemacht
hast, gleichwie ein starker Magen sich gewöhnt, alles zu
verdauen, oder wie ein loderndes Feuer aus allem, was
man hineinwirft, Flamme und Strahlenglut bildet.

172 Ein Stoiker.
173 Auch ein Philosoph. Die genannten waren mehr oder minder bekannte Philosophen.
174 Lehrer Marc Aurels. Siehe 1,14.

32.

Niemand soll in Wahrheit von dir sagen dürfen, daß du nicht lauter, daß du nicht rechtschaffen seiest; vielmehr sei der ein Lügner, der also von dir urteilen wollte. Das alles hängt nur von dir ab. Denn wer will dich hindern, rechtschaffen und geradsinnig zu sein? Fasse nur den Entschluß, nicht länger zu leben, ohne ein solcher Mann zu werden. Billigt es ja auch die Vernunft keineswegs, wenn du das nicht bist.

33.

Was kann man bei dieser Gelegenheit am treffendsten tun oder sagen? Es sei, was es wolle, so steht es ja bei dir, es zu tun oder zu sagen. Gib demnach nicht vor, als werdest du daran gehindert! Du wirst nicht eher aufhören zu seufzen, bis dein Gefühl dir sagt, daß das, was für den Wollüstling die Schwelgerei, für dich eine Tätigkeit sei, die bei jeder dargebotenen und vorkommenden Gelegenheit der menschlichen Natureinrichtung gemäß handelt. Denn eben als einen Genuß mußt du alles auffassen, was du deiner eigenen Natur gemäß wirken kannst. Und dies steht überall in deiner Macht. Der Walze freilich ist es nicht gegeben, nach eigener Triebkraft sich in jeder Richtung zu bewegen, ebensowenig dem Wasser oder dem Feuer oder dem übrigen, was unter der Leitung der Naturgesetze oder eines vernunftlosen Bewegungsprinzips[175] steht; denn hier treten viele Hindernisse ein. Geist und Vernunft aber vermögen kraft ihrer natürlichen Beschaffenheit und ihres Willens über alles, was sich ihnen in den Weg stellt, hinwegzuschreiten. Diese Leichtigkeit, mit der die Vernunft so wie das Feuer aufwärts, der Stein niederwärts, die Walze auf schiefer Fläche überall durchzudringen vermag, stelle dir vor Augen, und du wirst nichts weiter verlangen. Denn alle übrigen Anstöße treffen entweder den Leib als eine tote Masse, oder sie kön-

175 Instinkt.

nen dich nicht schwächen noch dir sonst etwas Schlimmes antun, außer wenn dein Urteil oder deine Vernunft selbst sich dazu hergibt; sonst müßte ja der, der solchen Anstoß erleidet, in demselben Augenblick dadurch schlecht werden, wie dies bei allen übrigen Schöpfungen der Fall ist, daß, wenn dem einen oder dem andern von ihnen ein Übel zustößt, der leidende Teil dadurch schlechter wird. Hier aber wird im Gegenteil der Mensch, wenn man es sagen soll, noch besser und lobenswerter, wenn er die ihn treffenden Schwierigkeiten recht benutzt. Überhaupt aber denke daran, daß dem eingeborenen Bürger nichts schadet, was dem Staat nichts schadet, und ebensowenig dem Staat etwas schadet, was nicht gegen die Gesetze ist. Von diesen sogenannten Unglücksfällen aber schadet keiner dem Gesetz. Was also das Gesetz nicht verletzt, das schadet auch weder dem Staat noch dem Bürger.

34.

Wer von den Grundsätzen der Wahrheit durchdrungen ist, für den ist auch der kürzeste, selbst allbekannte Ausspruch genügend, um ihn an ein getrostes, furchtloses Wesen zu mahnen.

»Es verwehet der Wind zur Erde die Blätter – – –
– – – –

So der Menschen Geschlecht.«[176]
Blätter sind auch deine Kindlein; Blätter alles, was mit der Miene der Wahrheit und mit lauter Stimme andere lobpreist oder umgekehrt verwünscht oder insgeheim tadelt und verhöhnt, Blätter gleichfalls, was deinen Nachruhm fortpflanzen wird. Die Zeit des Frühlings bringt sie hervor, ein Windstoß wirft sie zu Boden, und hierauf

---

176 *Ilias* 4,146–149:
Gleich wie die Blätter im Walde, so sind die Geschlechter der Menschen.
Einige streuet der Wind auf die Erd' hin; andere wieder
Treibt der knospende Wald, erzeugt in des Frühlings Wärme:
So der Menschen Geschlecht! Dies wächst, und jenes verschwindet.

treibt der Stamm wieder anderes an seiner Stelle hervor. Kurze Lebensdauer ist allen Dingen gemeinsam; du aber fliehst sie alle oder rennst ihnen nach, als ob sie ewig dauern würden. Über ein kleines, und auch deine Augen werden sich schließen, und den, der dich zu Grabe begleitet, wird bald ein anderer beweinen.

35.

Ein gesundes Auge muß alles Sichtbare sehen, ohne etwa zu sagen: Ich mag nur Grünes sehen; denn dies ist das Kennzeichen eines Augenkranken. So müssen auch Gehör und Geruch in ihrem gesunden Zustande für alles Hörbare und Riechbare empfänglich sein. Ebenso muß ein gesunder Magen sich allen Nahrungsmitteln gegenüber gleich verhalten, wie eine Mühle allem gegenüber, zu dessen Zermalmung sie eingerichtet ist. Es ist also auch die Pflicht einer gesunden Vernunft, auf alle Vorkommnisse gefaßt zu sein. Sagt aber jemand etwa: Möchten doch meine Kindlein am Leben bleiben, möchten doch alle jede meiner Handlungen loben, so ist der dem Auge gleich, das das Grüne, oder den Zähnen, die das Mürbe fordern.

36.

Niemand ist so glücklich, daß nicht unter denen, die sein Sterbebette umstehen, einige sein sollten, die sein herannahendes Ende willkommen heißen. War er auch ein trefflicher und weiser Mann, so findet sich doch am Ende noch jemand, der zu sich selbst sagt: Nun werden wir doch, von diesem Zuchtmeister erlöst, endlich wieder frei aufatmen können. Zwar hat er sich gegen keinen von uns strenge gezeigt, aber ich hatte doch immer das Gefühl, als verdamme er stillschweigend uns alle. Das kommt vor beim Tode eines Rechtschaffenen. Wie vieles andere aber mögen *wir* noch an uns haben, um dessentwillen mancher uns loszuwerden wünscht? Daran denke

in deiner Sterbestunde! Und du wirst leichter von hinnen
scheiden, wenn du dir dies noch vorstellst: Ich soll eine
Welt verlassen, aus der selbst meine Genossen, für die ich
so viel gekämpft, gebetet und gesorgt habe, mich hinweg-
wünschen, indem sie davon eine etwaige Erleichterung
hoffen. Warum sollte sich also einer an ein längeres Verweilen hier festklammern? Und doch scheide deshalb mit
nicht geringerem Wohlwollen gegen sie von hinnen,
bleibe vielmehr deiner eigentümlichen Sinnesart getreu
und gegen sie freundlich, wohlgesinnt, mild; dein Ab-
schied geschehe nicht mit Unwillen, als wenn du gewaltsam von ihnen gerissen würdest, sondern, wie die Seele
des selig Sterbenden sanft dem Körper sich entwindet, so
muß auch dein Scheiden aus ihrem Kreise sein. Denn die
Natur hat dich einst an sie geknüpft und gekettet, jetzt
aber löst sie das Band wieder. So will ich denn von ihnen,
wie von meinen Hausgenossen, nicht mit Sträuben, sondern ohne Zwang mich ablösen lassen. Denn auch dies
eine gehört zu den Forderungen der Natur.

37.

Gewöhne dich bei jeder Handlung eines andern daran,
soviel als möglich dir die Frage zu beantworten: Worauf
zielt dieser selbst damit hin? Mache aber bei dir selbst
den Anfang, prüfe vor allem dich selbst!

38.

Denke daran, daß das, was dich wie an unsichtbaren Fä-
den hin- und herzieht, in deinem Innern verborgen ist.
Dort wohnt die Überredungskunst, dort das Leben, dort
sozusagen der eigentliche Mensch. Nie verwechsle mit
diesem das dich einschließende Gehäuse und die ihm von
allen Seiten angebildeten Werkzeuge[177]. Denn sie sind
eine Art von Verband, nur mit dem Unterschied, daß sie

---

177 Die Glieder des Leibes.

ihm angeboren sind. Denn die Körperteile sind ohne die
sie bewegende und wiederum hemmende Kraft nicht
mehr nütze als ein Weberschiff ohne Weber, eine Feder
ohne den Schreiber, eine Peitsche ohne den Wagenlenker.

Elftes Buch

1.

Die Eigenschaften der vernünftigen Seele sind: sie be-
schaut sich selbst, zergliedert sich selbst und bildet sich
selbst nach eigenem Gefallen. Die Frucht, die sie trägt,
genießt sie selbst, während von den Früchten der Pflanzen und dem Nutzen, den uns die Tiere gewähren, nur
andere den Genuß haben. Sie erreicht ihr bestimmtes
Ziel, wie kurz auch immer das Leben sein mag. Es ist hier
nicht etwa wie bei einem Ballett, einem Schauspiel und
dergleichen, wo wegen eines Zwischenfalles die ganze
Handlung unvollendet bleibt; vielmehr führt sie, wo und
wann auch die Handlung aufhören mag, ihre Aufgabe
vollständig und lückenlos durch, so daß sie sagen kann:
Ich habe das Meinige dahin. Außerdem umwandelt sie
die ganze Welt samt dem diese umgebenden leeren Raum
und erforscht die Form derselben; sie breitet sich über
die grenzenlose Zeit aus, sie begreift und betrachtet all-
seitig die periodisch eintretende Wiedergeburt aller
Dinge und erkennt daraus, daß unsere Nachkommen
nichts Neues schauen werden, so wie diejenigen, die vor
uns gewesen sind, auch nichts anderes gesehen haben als
wir sehen, so daß gewissermaßen schon ein vierzigjähri-
ger Mann, wenn er auch nur einigen Geist besitzt, nach
dem Gesetze der Gleichförmigkeit in alles Vergangene
und Zukünftige einen Einblick hat. Endlich gehört auch
das zu den Eigentümlichkeiten der vernünftigen Seele,

daß sie den Nächsten sowie die Wahrheit und Bescheidenheit liebt, das Naturgesetz erkennt und nichts höher
achtet als sich selbst. So findet mithin zwischen der richtig denkenden und der gerecht wirkenden Vernunft gar
kein Unterschied statt.

2.

Die Reize eines Gesangs oder eines Balletts und Kampf-
spiels wirst du gering achten, sobald du zum Beispiel das
harmonische Ganze des ersteren in seine einzelnen Töne
zerlegst und bei jedem an dich selbst die Frage richtest,
ob dich wohl dieser hinreißen könnte. Dann wirst du das
Richtige wohl zugeben, und gerade so, wenn du hinsichtlich jeder Bewegung oder Haltung im Ballett und auch
beim Anblick eines Kampfspieles ein Gleiches tust.
Überhaupt nun – die Tugend und das von ihr Stammende
ausgenommen – denke daran, alle Dinge auf ihre Bestandteile hin zu prüfen, und du wirst bei ihrer Zergli-
derung zu ihrer Geringschätzung gelangen. Davon mache auch auf dein ganzes Leben die Anwendung.

3.

Oh, was für eine Seele ist das, die bereit ist, jeden Augenblick von dem Körper, wenn es so sein soll, sich loszulö-
sen und entweder zu erlöschen oder zu zerstäuben oder
mit ihm fortzudauern! Nur muß diese Bereitschaft von
der eigenen Überzeugung herstammen, nicht aber, wie
bei den Christianern, von bloßem Eigensinn;[178] vielmehr
muß sie mit reiflicher Überlegung und Würde verbunden
und ohne tragischen Pomp sein, so daß sie auch andere
überzeugt.

---

178 Antonin meint die Märtyrer. Es gab viele Christen, die den Märty-
rertod absichtlich suchten, weil sie ihn für den sichersten Weg zur Seligkeit hielten.

4.

Habe ich etwas Gemeinnütziges getan? Nun, davon habe ich ja selbst auch Vorteil. Diesen Gedanken habe stets vor Augen und höre in keiner Lage auf, so zu handeln.

5.

Was treibst du für eine Kunst? Die Kunst, ein rechtschaffener Mensch zu sein. Wie gelingt dies aber anders als vermittels heller Einsicht teils in die Einrichtung der Allnatur, teils in die eigentümliche Beschaffenheit des Menschen?

6.

Zuerst wurden die Trauerspiele eingeführt, um es den Zuschauern begreiflich zu machen, daß gewisse Begebenheiten natürlicherweise so und nicht anders erfolgen können und daß sie das, was ihnen im Schauspielhause anziehend erscheint, auf der großen Schaubühne der Welt nicht widerwärtig finden dürfen. Sehen sie ja doch, daß alles notwendig so kommen mußte und daß am Ende auch die, welche »Ach, Kithairon!«[179] ausriefen, es haben ertragen müssen. Auch werden von den Schauspieldichtern manche nützliche Wahrheiten ausgesprochen, wozu folgende gehören:

> Werd' ich samt Kind verlassen von den Göttern,
> Auch *das* hat seinen Grund.

Und in einer andern Stelle:

> Der Außenwelt muß man nicht zürnen.

Oder:

> Ernte das Leben wie eine fruchtbare Ähre,[180]

und andere Stellen mehr.

---

179 Ein Klageruf aus Sophokles. Kithairon, Berg zu Böotien, auf dem Ödipus, der vom Schicksal grausam Verfolgte, ausgesetzt wurde. Voll Bedauern, in seiner Kindheit gerettet worden zu sein, ruft er mit tiefstem Schmerz aus: Ach, Kithairon.
180 In Antonins Betrachtungen wiederholt sich manches.

Nach dem Trauerspiel kam das ältere Lustspiel. Es übte
eine sittenrichterliche Freimütigkeit und wirkte dadurch
mit großem Nutzen auf die Entfernung des Eigendün-
kels, den sie rücksichtslos zur Schau stellte, zu welchem
Zweck selbst ein Diogenes manches aus ihr sich zu eigen
machte. Die darauf folgende mittlere Komödie, was war
sie? Und endlich die neue, die bald in mimische Künste-
leien ausartete, in welcher Absicht ist sie wohl eingeführt
worden? Das sage mir einer. Zwar ist es unverkennbar,
daß auch hier manche nützliche Wahrheit ausgesprochen
wird; allein welcher Zweck wird denn eigentlich bei solcher dramatischen Poesie nach ihrer ganzen Anlage beabsichtigt?

7.

Wie einleuchtend muß es dir nicht vorkommen, daß
keine andere Lebenslage zum Studium der Weisheit so
geeignet sei als diejenige, in der du jetzt gerade dich befindest?[181]

8.

Ein Zweig, von seinem Nachbarzweige losgehauen, ist
damit notwendigerweise zugleich auch vom ganzen
Baumstamme abgehauen. So ist folglich auch ein
Mensch, der sich von einem seiner Mitmenschen lossagt,
von der ganzen menschlichen Gesellschaft abgefallen.
Den Zweig nun haut doch noch eine fremde Hand ab, ein
Mensch dagegen trennt durch Haß und Abscheu sich
selbst von seinem Nächsten und bedenkt dabei nicht, daß
er damit zugleich sich vom ganzen Gemeinwesen losge-
rissen hat. Doch ist es ein Geschenk Gottes, der die
menschliche Gesellschaft zusammenfügte, daß es uns
vergönnt ist, wieder mit dem Nachbarzweige zusammen-
zuwachsen und wiederum ein ergänzender Teil des Gan-

181 Marc Aurels Leben war voll Prüfungen und Mühen aller Art. Alle
Umstände des Lebens sind geeignet, uns Weisheit zu lehren.

zen zu werden. Je öfter freilich eine solche Trennung
eintritt, desto schwieriger wird auch die Wiedervereini-
gung und Wiederherstellung des Getrennten. Und überhaupt ist ein Unterschied zwischen einem Zweige, der
von Anfang an mit dem ganzen Baume emporwuchs und
denselben Trieb zum Wachstum behielt, und einem andern, der erst abgehauen und dann wieder aufgepfropft
ward; denn der letztere, was wohl auch die Gärtner be-
stätigen, wächst zwar mit seinem Stamme wieder zusammen, schmiegt sich ihm aber doch nicht mehr völlig an.

9.

Diejenigen, die dich hindern wollen, dem Wege der gesunden Vernunft zu folgen, werden doch nicht imstande
sein, dich von pflichtmäßiger Handlungsweise abzubrin-
gen; ebensowenig aber laß du dich in deinem Wohlwollen gegen sie stören; vielmehr bleibe gleichmäßig fest in
diesen beiden Grundsätzen, nämlich nicht nur in deinen
Urteilen und Handlungen beharrlich zu sein, sondern
auch Sanftmut gegen diejenigen zu zeigen, die dich daran
zu hindern suchen oder auch sonst deinen Unwillen erregen. Denn auf sie zu zürnen wäre ebensosehr eine
Schwäche, als seiner Handlungsweise untreu zu werden
und aus Bestürzung nachzugeben. In beiden Fällen nämlich würdest du Reih und Glied verlassen, dort aus
Furcht, hier aus Abneigung gegen deine natürlichen Verwandten und Freunde.

10.

Die Natur steht niemals gegen die Kunst zurück, vielmehr sind die Künste Nachahmerinnen der Natur, und
wenn dies ist, so dürfte wohl die vollkommenste und
alles andere umfassende Natur der künstlerischen Ge-
schicklichkeit nicht nachstehen. Alle Künste aber verfer-
tigen das Unvollkommene um des Vollkommenen willen; so verfährt auch die Allnatur. Hier hat auch die Ge-

rechtigkeit ihren Ursprung, aus der alle übrigen Tugenden sich entwickeln; denn solange wir uns noch mit den gleichgültigen Dingen zu schaffen machen oder uns als leicht verführbare, voreilige und wetterwendische Menschen zeigen, wird die Gerechtigkeit von uns nicht beobachtet werden.

11.

Die Außendinge, die du mit Furcht und Hoffnung suchst oder fliehst, kommen nicht zu dir, vielmehr kommst du gewissermaßen zu ihnen. Bekümmere dich doch also nicht um sie, und auch sie werden dann ruhig bleiben, wo sie sind, und dich wird man sie weder fürchten noch verlangen sehen.

12.

Die Seele hat gewissermaßen eine Kugelform: sofern sie sich weder nach irgendeiner Seite hin ausdehnt noch in sich selbst zurückzieht, weder sich verflüchtigt noch erliegt, wird sie leuchten wie ein Licht und die Wahrheit von allem und folglich auch die in ihr selbst befindliche erblicken.[182]

13.

Verachtet mich jemand? Das ist seine Sache. Meine Sache aber ist es, nichts zu tun oder zu sagen, was Verachtung verdient. Haßt er mich, so ist das wieder seine Sache, die meinige dagegen, liebreich und wohlwollend gegen alle Menschen zu sein, und gerade jenem gegenüber bereit, ihm sein Versehen nachzuweisen, ohne ihn beschimpfen oder meine Nachsicht gegen ihn zur Schau tragen zu wollen, sondern aufrichtig und gutherzig zu sein, wie der große Phokion[183], wofern dessen Benehmen nicht erheu-

---

182 Die Kugel, als vollkommenste Figur, wurde häufig als das Bild der Vollkommenheit gebraucht.
183 Phokion, zum Tode verurteilt, ließ, als er den Giftbecher trank, seinem Sohn sagen, er möge niemals auf Rache sinnen.

chelt war. Dein Inneres muß nämlich so beschaffen sein,
daß die Götter in dir einen Menschen sehen, dessen Gemütsstimmung nichts von Ärger oder Mißmut blicken
läßt. Denn was gäbe es auch wohl Übles für dich, wenn
du jedesmal freiwillig das tust, was deiner Natur angemessen ist, und als ein Mensch, dazu bestimmt, das Gemeinwohl auf jede mögliche Weise zu fördern, das an-
nimmst, was die Allnatur gerade jetzt dienlich findet?

14.

Leute, die sich gegenseitig verachten, machen gerade einander Komplimente, und die sich untereinander hervor-
tun wollen, bücken sich gerade voreinander.

15.

Wie verderbt und betrügerisch ist der Mensch, der da
spricht: Ich bin entschlossen, aufrichtig mit dir umzu-
gehen! Wozu das, o Mensch? Es ist unnötig, das erst zu
sagen; es muß auf der Stelle sich zeigen; schon auf deiner
Stirne muß diese Versicherung geschrieben stehen. Es
muß sogleich aus deinen Augen hervorleuchten, wie der
Geliebte im Blicke des Liebenden sogleich alles lesen
kann. Überhaupt muß der aufrichtige und gute Mann in
seiner Art eben das sein, was der Übelriechende in der
seinigen ist; wer ihm nahe kommt, merkt es sogleich, er
mag wollen oder nicht. Eine erkünstelte Aufrichtigkeit
dagegen ist wie ein versteckter Dolch. Es gibt nichts
Schändlicheres als Wolfsfreundschaft[184]. Entfliehe ihr, so
schnell du kannst. Der tugendhafte, aufrichtige und red-
liche Mann offenbart sich unverkennbar schon in seinen
Augen.

---

184 Nach einer äsopischen Fabel wurden die Schafe von den Wölfen, die
sich friedliebend stellten, auf hinterlistige Weise betrogen. Wolfsfreundschaft nannten die Griechen jede Freundschaft, die Verdacht einflößte.

16.

Die Fähigkeit, ein glückliches Leben zu führen, ist in
unserer Seele vorhanden, sie darf nur gegen gleichgültige
Dinge sich wirklich auch gleichgültig verhalten. Und sie
wird sich alsdann so verhalten, wenn sie jedes von ihnen
teilweise und im ganzen betrachtet und sich erinnert, daß
kein Ding uns zwingen kann, so oder anders davon zu
urteilen, daß die Gegenstände nicht zu uns kommen,
sondern unbeweglich stehen bleiben, vielmehr *wir* es
sind, die die Vorstellungen von ihnen erzeugen und uns
diese gleichsam selbst einprägen, während es uns doch
freisteht, dieses Urteil darüber uns nicht zu bilden oder
auch, wenn es sich etwa bei uns schon eingeschlichen hat,
es sogleich wieder zu tilgen. Und einer solchen Vorsichtsmaßregel wird es nur auf kurze Zeit bedürfen, da
unser Leben bald aufhören und dieser Besorgnis ein
Ende machen wird. Was hat demnach dieses richtige Verhalten für große Schwierigkeiten? Denn, ist es naturgemäß, so freue dich dessen, und es muß dir leicht sein;
ist's aber naturwidrig, so untersuche, was deiner Natur
gemäß ist, und strebe dann danach, auch wenn es dir
keinen Ruhm einbringt. Jedem ist es gestattet, sein
eigenes Wohl zu suchen.

17.

Denke an den Ursprung jedes Dinges, aus welchen Stof-
fen es besteht, in welche Form es sich umwandelt, was es
nach seiner Verwandlung sein wird und daß ihm durch
diese Veränderung kein Übel widerfährt.

18.

Erstens ist zu betrachten: in welchem Verhältnis stehe ich
zu den Menschen? Wir alle sind füreinander da, und in
einer andern Hinsicht stehe ich an ihrer Spitze, wie der
Widder die Schafe führt und der Stier die Rinder. Doch
betrachte dies Verhältnis auch von einem höhern Ge-

sichtspunkte: Ist nicht alles ein Atomengewirr, so ist die Natur Beherrscherin des Alls; in diesem Falle sind niedere Wesen den höheren untergeordnet und letztere einander beigeordnet.

Zweitens: Wie zeigen sich die Menschen bei Tische, in ihren Zimmern und in den übrigen Lebenslagen? Und besonders, welche Gewalt haben ihre Grundsätze über sie, und mit wieviel Eigendünkel verrichten sie ihre Handlungen?

Drittens: Ist ihr Handeln vernünftig, so darfst du nicht unwillig werden; ist es aber nicht vernünftig, so handeln sie offenbar wider Wissen und Wollen. Denn wie jede Seele ungern auf die Wahrheit verzichtet, so auch auf das geziemende Betragen gegen jedermann. Daher kommt es, daß es die Menschen unerträglich finden, wenn man sie Ungerechte, Undankbare, Eigennützige, mit *einem* Wort Übeltäter an ihren Nebenmenschen heißt.

Viertens: Auch du vergehst dich oft und gehörst also in dieselbe Klasse, und wenn du dich auch von gewissen Vergehen fernhältst, so hast du wenigstens die Anlage dazu, obgleich du aus Furcht oder Ehrsucht oder sonst einer schlimmen Neigung solcher Vergehen dich enthältst.

Fünftens: Du kannst es nicht einmal recht wissen, ob dieser oder jener sich wirklich vergangen hat. Denn vieles geschieht auch vermöge eines Dranges der Umstände, und man muß überhaupt mit manchen Verhältnissen zuvor bekannt sein, um über die Handlungsweise eines andern ein gegründetes Urteil abgeben zu können.

Sechstens: Wenn du dich auch noch so sehr erzürnst oder grämst, so bedenke, daß das Leben nur eine kleine Weile dauert und daß wir bald alle im Grabe sein werden.

Siebentens: Nicht die Handlungen anderer beunruhigen uns, denn jene beruhen auf ihren leitenden Grundsätzen, sondern vielmehr unsere Meinungen. Schaffe also diese wenigstens aus dem Wege und habe nur den Willen, dein

Urteil über sie, als seien sie etwas Schreckliches, aufzugeben, und dann ist auch dein Zorn verschwunden. Wie soll ich nun aber jene aus dem Wege schaffen? Indem du erwägst, daß keine Beleidigung dich schändet. Nur das Laster ist etwas, was schändet. Wäre dem nicht so, dann müßte folgen, daß du dadurch ein Sünder oder Räuber werden könntest, weil es andere sagen.

Achtens: Der Zorn und Kummer, den wir durch die Handlungen der Menschen empfinden, sind härter für uns als diese Handlungen selbst, über die wir uns erzürnen und betrüben.

Neuntens: Ist dein Wohlwollen wirklich echt, ohne Heuchelei und Gleißnerei, so ist es auch unerschütterlich. Denn was kann dir der boshafte Mensch anhaben, wenn du in Freundlichkeit gegen ihn verharrst, ihn bei passender Gelegenheit sanftmütig warnst und gerade in dem Augenblick, wo er dir Böses anzutun versucht, ihn in ruhigem, zurechtweisendem Tone etwa so anredest: »Nicht doch, mein Lieber! Wir sind zu etwas anderem geboren. Mir zwar wirst du damit nicht schaden, dir selbst aber schadest du damit, mein Lieber.« Zeige ihm dann in schonendster Weise und mit gutem Bedacht, daß sich dies also verhält und daß selbst die Bienen und andere herdenweise zusammenlebende Tiere nicht so verfahren. Du mußt es aber ohne Spott und Übermut tun, vielmehr mit liebevoller Seele und fern von aller Bitterkeit; auch nicht im hofmeisternden Tone oder in der Absicht, das Staunen eines Dritten, der etwa dabeisteht, zu erregen, sondern rede, wenn du ihn allein hast, nicht wenn andere umherstehen.

Dieser neun Hauptvorschriften bleibe eingedenk, als hättest du sie von den neun Musen zum Geschenk erhalten, und fange endlich einmal an, Mensch zu sein, solange du noch zu leben hast. Hüte dich aber ebensosehr davor, auf die Menschen zu zürnen als ihnen zu schmeicheln. Denn beides gereicht dem Gemeinwesen zum Verderben. Na-

mentlich bei den Aufwallungen des Zornes halte dir stets
gegenwärtig, daß das Aufbrausen noch keine Manneskraft, sondern vielmehr im Gegenteil die Milde und
Sanftmut in eben dem Maße, als sie menschlicher ist,
auch größere Mannesstärke bekundet. Nur hier ist Kraft
und Nerv und Mannhaftigkeit, nicht aber da, wo man
aufgebracht und übellaunig ist. Denn je näher der Leidenschaftslosigkeit, desto näher der Stärke, und wie Betrübnis, so ist auch Zorn die Eigenschaft des Schwachen.
Denn in beiden Fällen ist man verwundet und eine Beute
des Feindes. Empfange indes, wenn es dir beliebt, vom
Führer der Musen noch ein zehntes Geschenk. Es ist der
Gedanke, daß es wahnsinnig sei, zu verlangen, die Bösewichter sollen nicht sündigen; denn das hieße etwas Unmögliches verlangen; zugeben aber, daß sie sich gegen
andere so zeigen, wie sie sind, und zugleich fordern, daß
sie sich an deiner Person nicht versündigen, wäre Unbilligkeit und Tyrannei.

19.

Hauptsächlich vier Verirrungen sind es, vor denen deine
Vernunft sich beständig hüten muß und denen du, sobald
du sie ausgespürt hast, ausweichen sollst, indem du in
dem einen Falle so zu ihr sprichst: Das ist eine unnötige
Vorstellung; in dem andern so: Dies zerreißt das Band
der menschlichen Gesellschaft; in dem dritten so: Was du
jetzt sagen willst, ist nicht die Sprache deines Herzens, es
ist aber ganz unstatthaft, anders zu reden, als man denkt.
Der vierte Fall ist der, wenn du dir selbst Vorwürfe machen mußt; dies rührt von der Stimme des göttlicheren
Teiles deines Wesens her, der von deinem Körper, dem
unedleren und sterblichen Teil deiner Natur, und von
dessen grobsinnlichen Lüsten überwältigt und unter dieselben herabgewürdigt ist.

20.

Alle geistigen und feurigen Teilchen, die deinem Wesen
beigemischt sind, ungeachtet sie ihrer Natur gemäß nach
oben streben, werden jedoch, um sich in die Ordnung
des Weltganzen zu fügen, hier in deinem Körpergewebe
festgehalten. Ebenso hält sich alles Erdige und Feuchte in
dir, obgleich diese Teile nach unten streben, doch in der
Höhe und behauptet in deinem Körper eine seiner Natur
nicht zukommende Stelle. So gehorchen demnach auch
die Grundstoffe dem Ganzen und bleiben notgedrungen
da, wo sie einmal hingestellt worden sind, bis ihnen von
dorther wieder das Zeichen zur Auflösung gegeben wird.
Ist es nun nicht arg, daß nur der vernünftige Teil deines
Wesens ungehorsam und über den ihm angewiesenen Posten ungehalten ist? Und doch wird diesem gerade nichts
Gewaltsames auferlegt, sondern nur das, was seiner Natur angemessen ist. Und dennoch läßt er sich's nicht gefallen, sondern neigt sich zum Gegenteil hin; denn jeder
Schritt zu Ungerechtigkeiten, Ausschweifungen, Aus-
brüchen von Zorn, Schwermut und Furcht ist nichts anderes als ein Abfall von der Natur. Und so oft deine
Vernunft über irgendein Ereignis mißmutig wird, verläßt
sie jedesmal Reih und Glied. Die Seele ist zur Gleichmü-
tigkeit und Gottesfurcht nicht minder als zur Gerechtigkeit geschaffen; denn auch jene Tugenden sind im Begriff
des Gemeingeistes enthalten, ja sie sind sogar noch älter
als rechtliche Handlungen.

21.

Wessen Lebensziel nicht stets ein und dasselbe ist, der
kann auch selbst nicht sein ganzes Leben hindurch ein
und derselbe sein. Doch – das Gesagte ist noch nicht
hinreichend, wenn man nicht auch das noch hinzufügt,
von welcher Art jenes Ziel eigentlich sein muß. Denn
gleichwie nicht alle Menschen von den Gütern, die ge-
meiniglich irgendwie dafür gehalten werden, die gleiche

Ansicht hegen, sondern nur von gewissen, das heißt den allgemein gültigen, so darf man sich auch nur ein solches Ziel setzen, das von allen für gut gehalten wird und dem Gemeinwohl entspricht. Denn wer auf dieses Ziel mit allen seinen Kräften hinarbeitet, der wird allen seinen Handlungen Gleichförmigkeit verleihen und insofern stets ein und derselbe bleiben.

22.

Denke an die Feldmaus und die Stadtmaus, und wie erschrocken jene hin und her lief.[185]

23.

Sokrates nannte die Meinungen der Menge Poltergeister, Schreckgestalten für Kinder.

24.

Die Lakedämonier ließen bei ihren Schauspielen die Fremden im Schatten sitzen; sie selbst aber setzten sich an der ersten besten Stelle nieder.

25.

Als Perdikkas dem Sokrates vorwarf, daß er nicht zu ihm zum Speisen kam, antwortete dieser: Ich mag nicht vor Schimpf und Schande vergehen, weil ich empfangene Wohltaten nicht wieder vergelten kann.

26.

In den Schriften der Ephesier[186] war die Lebensregel aufgezeichnet, daß man sich beständig einen von den Alten,

---

185 In Äsops Fabeln. Die Stadtmaus erschrak nicht wie die Feldmaus, als sie es im Hause poltern hörte, weil sie es gewöhnt war. Die Landmaus aber sagte, daß ihr das ruhige, wenn auch ärmliche Leben auf dem Lande lieber sei als das prachtvolle, doch unruhige und ängstliche Leben in der Stadt.
186 Heraklits Schule.

der vollkommen tugendhaft gewesen ist, zum Muster
vorhalten solle.

27.

Die Pythagoräer lehrten, wir sollen in der Morgenstunde
zum Himmel emporschauen, um uns nicht nur jener Wesen, die ihr Werk in ewiger Unveränderlichkeit und auf
gleiche Weise betreiben, sondern auch ihrer Ordnung,
ihrer Reinheit und ihres unverhüllten Zustandes zu erinnern. Denn die Gestirne sind ohne Schleier.

28.

Du weißt, daß Sokrates sich ein Fell umgürtete, als Xan-
thippe in seinem Obergewande ausgegangen war. Und
wie richtig waren seine Worte[187] zu seinen Freunden, als
sie ihn in diesem Aufzuge erblickten und vor Scham zu-
rücktraten!

29.

Du kannst nicht im Schreiben und Lesen unterrichten,
wenn du es nicht selber kannst; viel weniger lehren, wie
man recht leben soll, wenn du es nicht selber tust.

30.

Du bist nur ein Sklave und hast nichts zu reden.[188]

31.

– doch innerlich lachte das Herz mir.[189]

32.

Lästern werden sie mit harten Worten die Tugend.[190]

187 Daß nicht das Kleid den Mann macht.
188 Gegen das Schicksal.
189 *Odyssee* 9,413: Mir lachte die Seele vor Freude.
190 Aus Hesiod.

33.

Im Winter Feigen suchen, wäre Tollheit. Ebenso ist der toll, der sich nach einem Kinde sehnt, wenn ein solches ihm nicht mehr vergönnt wird.

34.

»Wenn du dein Kind küssest«, sagte Epiktet, »mußt du dir innerlich zurufen: Morgen ist es vielleicht tot.« »Das sind Worte übler Vorbedeutung«, wird ihm darauf entgegnet. »Nichts«, versetzte er, »ist ein Unglückswort, was eine Wirkung der Natur bezeichnet, sonst wäre auch der Ausdruck ›die Ähren werden abgemäht‹ ein Wort schlimmer Vorbedeutung.«

35.

Jetzt unreife Trauben, bald reif, dann gedörrt – lauter Umwandlungen, doch nicht etwa in ein Nichts, vielmehr in ein Anderssein.

36.

»Einen Räuber der Willensfreiheit gibt es nicht«, ist ein Wort Epiktets.

37.

Du mußt, sagte derselbe, hinsichtlich deiner Beifallsäußerungen regelrecht verfahren lernen und im Punkte deiner Bestrebungen die Vorsichtsmaßregel beobachten, daß sie an Bedingungen geknüpft sind, sich aufs Gemeinwohl richten und durch den Wert der Dinge bestimmt werden. Der Begierden dagegen mußt du dich ganz und gar enthalten und meiden, was nicht von uns abhängt.

38.

Der Streit betrifft also, bemerkt derselbe, nicht eine Alltagssache, sondern vielmehr die Frage, ob man wahnsinnig sei oder nicht.[191]

191 Nach stoischer Anschauung sind alle Lasterhaften in einem Wahnsinn befangen.

39.

»Was wünscht ihr?« fragte Sokrates, »vernünftige Seelen
zu haben oder unvernünftige?« Vernünftige. »Was für
Vernünftige? Gesunde oder zerrüttete?« Gesunde.
»Warum strebt ihr denn nicht danach?« Weil wir sie
schon haben. »Warum zankt ihr euch dann und verunei-
nigt euch?«

Zwölftes Buch

1.

Alles das, was du nach einiger Zeit zu erlangen wünschst,
kannst du jetzt schon haben, wenn du nicht mißgünstig
gegen dich selbst bist. Und es wird dir werden, wenn du
alles Vergangene beiseite lässest, das Zukünftige der Vorsehung anheimstellst und bloß das Gegenwärtige der
Frömmigkeit und Gerechtigkeit gemäß einrichtest, und
zwar der Frömmigkeit gemäß, um mit dem dir zugeteilten Lose zufrieden zu sein; denn die Natur ist es, die
dasselbe für dich und dich für dasselbe bestimmte; der
Gerechtigkeit gemäß aber, um freimütig und ohne Um-
schweife die Wahrheit zu reden und dein Tun dem Gesetz und Wert der Dinge entsprechend zu gestalten, un-
beirrt von fremder Schlechtigkeit, von Vorurteilen, vom
Gerede anderer und auch von den Lüsten deines eigenen
Fleisches. Denn da mag es sich der Körper selbst zu-
schreiben, wenn er sich Leiden schafft. Laß denn, ohne-
dem schon dem Lebensausgang nahe, alles übrige dahin-
gestellt, ehre einzig und allein die herrschende Vernunft
und das Göttliche in dir, fürchte dich nicht vor dem
einstigen Aufhören des Lebens, vielmehr nur davor, daß
du ein naturgemäßes Leben noch nicht einmal begonnen
hast. Dann erst wirst du ein Mensch sein, würdig der

Welt, deiner Erzeugerin, und wirst auch aufhören, in deinem Vaterlande ein Fremdling zu sein, das, was doch alle Tage geschieht, als dein Erwarten übersteigend anzustaunen und dein Herz an dieses oder jenes zu hängen.

2.

Alle Seelen sieht Gott in ihrer Nacktheit, ohne alle körperliche Hülle, Rinde und Unsauberkeit. Nur durch seinen Geist ist er mit dem in Berührung, was aus ihm selbst in sie übergeflossen und abgeleitet worden ist. Gewöhnst du dich daran, ebenso zu verfahren, so wirst du dir eine Menge Sorgen aus dem Wege räumen. Denn wer sich nicht viel um das Fleisch kümmert, von dem er umgeben ist, wird sich noch viel weniger um Kleidung, Wohnung, Ehre und allen solchen Schmuck und Pomp ängstigen.

3.

Drei Teile sind es, woraus du bestehst: Körper, Lebensgeist, Denkvermögen. Von diesen sind die beiden ersten nur insoweit dein, als du für sie zu sorgen hast; der dritte ist aber in besonderem Sinne dein Eigentum. Hältst du also von deinem Ich, das heißt von deiner Denkkraft, den Gedanken an alles fern, was andere tun oder reden oder was du selbst getan oder gesagt hast, alles, was dich schon im voraus beunruhigt, alles, was den dich umgebenden Leib oder den ihm eingepflanzten Lebensgeist angeht und mithin deiner freien Wahl entzogen ist und durch den ewigen Wirbel der dich umgebenden Außenwelt umgewälzt wird, so daß die Denkkraft in dir dem Einflusse der Verkettungen des Schicksals entzogen, rein und ungebunden sich selbst lebt, tut, was recht ist, will, was geschieht, und redet, was der Wahrheit entspricht – trennst du, wie gesagt, von dieser herrschenden Vernunft alles, was durch leidenschaftliche Neigungen angehängt ward und der Zukunft oder der Vergangenheit angehört,

bildest du so gleichsam aus dir das, was Empedokles von
der Welt sagt:
        Eine gerundete Kugel,
        der wirbelnden Kreisbahn sich freuend,
bist du darauf bedacht, nur *die* Zeit, die du lebst, das
heißt die Gegenwart, ganz zu durchleben, so wird es dir
möglich sein, den Rest deiner Tage bis zum Tode ruhig,
edel und dem Genius in dir hold hinzubringen.

4.

Oft habe ich mich darüber gewundert, wie es möglich ist,
daß der Mensch, der sich doch mehr liebt als alle anderen, dennoch seinem eigenen Urteile über sich geringeren
Wert beilegt als dem Urteile anderer. Wenn demnach ein
Gott oder ein verständiger Lehrer zu jemandem hin-
treten und ihm befehlen würde, nichts bei sich selbst zu
denken und zu beschließen, ohne es zugleich, sobald er
sich dessen bewußt geworden, auszusprechen, so würde
er das nicht einmal einen einzigen Tag aushalten können.
Es ist also wahr, daß wir fremdes Urteil über uns mehr
scheuen als unser eigenes.

5.

Wie konnten die Götter, die doch sonst alles so schön
und menschenfreundlich eingerichtet haben, das eine
übersehen, daß die wenigen vorzüglich wackeren Menschen, die im innigsten Verkehre mit der Gottheit stan-
den und durch fromme Werke und heiligen Dienst ihre
Vertrauten geworden waren, doch, nachdem sie einmal
gestorben sind, nicht wieder ins Dasein zurückkehren,
sondern ganz und gar verschwunden sind? Wenn dem
aber wirklich so ist, so sei überzeugt, daß, wenn es anders
hätte sein sollen, sie es auch wohl anders eingerichtet
haben würden. Denn wenn es recht wäre, so würde es
auch möglich gewesen sein, und wenn naturgemäß, so
würde es auch die Natur mit sich gebracht haben. Daraus

also, daß dem nicht so ist, mußt du die feste Überzeugung schöpfen, es habe nicht so sein sollen. Du siehst selbst, solche Fragen aufwerfen, hieße mit Gott rechten, wir würden aber mit den Göttern nicht also streiten, wenn sie nicht wirklich die besten und gerechtesten Wesen wären. Sind sie das aber, so haben sie gewiß bei der Welteinrichtung nichts ungerechter- und unbesonnenerweise übersehen und außer acht gelassen.

6.

Gewöhne dich auch an Dinge, an deren Ausführbarkeit du anfangs verzweifelst. Faßt ja auch die linke Hand, obgleich sie aus Mangel an Übung gewöhnlich schwächer ist, dennoch die Zügel kräftiger als die rechte; denn hierzu wird sie beständig gebraucht.

7.

Denke, in welcher Beschaffenheit des Leibes und der Seele dich der Tod antreffen wird, sowie an die Kürze des Lebens, an den unermeßlichen Zeitraum hinter dir und vor dir, an die Gebrechlichkeit alles Stoffes.

8.

Betrachte die Grundeigenschaften der Dinge sowie die Zwecke der Handlungen entkleidet von ihrer Umhüllung. Erwäge, was Unlust, was Lust, was Tod, was Ruhm sei und wie man an seiner Unruhe selbst schuld ist, wie niemand von einem andern gehindert werden kann und daß alles auf die Vorstellung ankommt.

9.

Bei Anwendung deiner Grundsätze mußt du dem Ringer, nicht dem Zweikämpfer ähnlich sein. Dieser nämlich wird niedergestochen, sobald er sein Schwert verliert, jenem aber steht sein Arm immer zu Gebote, und er hat weiter nichts nötig, als ihn recht zu gebrauchen.[192]

192 Der Mensch soll auf das ihm Angeborene, die Vernunft, vertrauen.

10.

Prüfe die Beschaffenheit der Dinge in der Welt und unterscheide an ihnen die Stoffe, die wirkende Kraft und den Zweck.

11.

Welche Gewalt hat doch der Mensch! Er hat es in seiner Macht, nichts zu tun, als was den Beifall der Gottheit zur Folge hat, und alles hinzunehmen, was ihm die Gottheit zuteilt.

12.

In betreff dessen, was eine Folge des Naturlaufs ist, soll man weder den Göttern noch den Menschen Vorwürfe machen; denn jene versehen sich weder willkürlich noch unwillkürlich, diese fehlen auch nicht willkürlich; daher soll man niemandem Vorwürfe machen.

13.

Es hieße lächerlich und ein Fremdling in der Welt sein, wenn man über irgendein Ereignis in seinem Leben staunen wollte.

14.

Entweder herrscht ein unvermeidlich notwendiges Schicksal und eine unverletzbare Ordnung der Dinge oder eine versöhnliche Vorsehung oder ein verworrenes, blindes Ungefähr. Herrscht nun eine unveränderliche Notwendigkeit, warum sträubst du dich dagegen? Herrscht aber eine Vorsehung, die sich versöhnen läßt, so mache dich des göttlichen Beistands würdig. Herrscht endlich ein blinder Zufall, so erfreue dich an dem Gedanken, daß du mitten in solch einem Wogensturm in dir selbst an der Vernunft eine Lenkerin hast. Und wenn dich auch die Strömung ergreift, so mag sie das bißchen Fleisch und Lebensgeist und alles andere mit sich fortreißen; kann sie ja doch die Vernunft nicht wegnehmen.

15.

Das Licht einer Lampe scheint, bis es erlischt; nicht eher verliert es seinen Schimmer; in dir aber sollte die Liebe zur Wahrheit, Gerechtigkeit und Besonnenheit früher erlöschen?

16.

Hast du von jemand die Meinung, daß er gefehlt habe, so frage dich: Bin ich sicher, daß es wirklich ein Fehler ist? Aber, gesetzt auch, er habe gefehlt, hat er sich damit nicht selbst gestraft und so gleichsam sein eigenes Angesicht zerfleischt? Überhaupt, wer verlangt, daß der Lasterhafte nicht fehlen soll, kommt mir vor wie einer, der nicht will, daß der Feigenbaum Saft in den Feigen erzeuge, daß die Kinder weinen, daß das Pferd wiehere und dergleichen von Natur notwendige Erscheinungen mehr. Denn was soll der tun, der nun einmal die Anlage zu so etwas hat? Rotte sie ihm aus, wenn du die Fähigkeit hierzu in dir fühlst.

17.

Was nicht pflichtgemäß ist, das tue nicht; was nicht wahr ist, sage nicht; denn deine Willensrichtung ist ganz von dir abhängig.

18.

Unterlaß nie zu untersuchen, was jenes gerade sei, das in dir eine Vorstellung erzeugt, indem du daran die Grundkraft, den Stoff, den Zweck und die Zeit, innerhalb deren es wieder aufhören muß, unterscheidest.

19.

Empfinde es doch endlich, daß du etwas Besseres und Göttlicheres in dir hast als das, was die Leidenschaften erregt und dich hin- und herzerrt wie der Draht die Marionetten. Denn was ist deine Seele? Besteht sie aus

Furcht oder Argwohn oder Begierde oder etwas anderem
der Art?

20.

Fürs erste handele nicht aufs Geratewohl, nicht ohne
Zweck, zum andern richte deine Endabsicht auf nichts
anderes als auf das Gemeinwohl.

21.

Noch eine kleine Weile – und dann wirst du selbst nicht
mehr sein noch etwas von den Dingen, die du jetzt siehst,
noch von den Menschen, die jetzt leben. Denn alles ist
von Natur zur Umwandlung, zur Veränderung und zum
Untergang bestimmt, damit anderes an seine Stelle rücke.

22.

Alles ist Meinung, und diese hängt ganz von dir ab.
Räume also, wenn du willst, die Meinung aus dem Wege,
und gleich dem Seefahrer, der eine Klippe umschifft hat,
wirst du unter Windstille auf ruhiger See in den sicheren
Hafen einfahren.

23.

Jegliche Tätigkeit, die zur bestimmten Zeit ihr Ende erreicht, erleidet durch das Aufhören keinen Schaden.
Ebensowenig erleidet der, der sich hierbei tätig gezeigt
hat, durch diese Beendigung einen Nachteil. Folglich erleidet der Inbegriff aller Tätigkeitsäußerungen, die wir
das Leben nennen, durch ebendiese Beendigung keinen
Nachteil, und so ist auch der, der zu seiner Zeit diese
Reihe geschlossen hat, hierdurch in keine schlimme Lage
versetzt worden, denn jene Zeit und diese Lebensgrenze
weist die Natur an, und zwar zuweilen, wenn sie erst im
Greisenalter eintritt, zugleich die eigene Natur des Menschen, jedesmal aber jene Allnatur; denn durch Umwandlung ihrer Teile wird das ganze Weltgebäude stets

verjüngt und wieder in volle Blüte versetzt. Alles aber, was dem Ganzen zuträglich ist, ist jederzeit auch schön und rechtzeitig. Das Aufhören des Lebens ist also für niemand von Nachteil, zumal da es auch, weil von unserer Willkür unabhängig und dem Gemeinwohl nicht zuwider, niemandem Schande macht; vielmehr ist es ein Gut, insofern es für die ganze Welt, die auf solche Weise erneuert wird, nützlich und zuträglich ist. So ist auch der ein von Gott Geführter, der sich von Gott auf dessen Wegen und mit seiner Gesinnung zu gleichen Zielen führen läßt.[193]

24.

Folgende drei Grundsätze müssen dir immer bei der Hand sein: Erstens nämlich in betreff dessen, was du tust, nie ohne Grund noch anders zu verfahren, als die Gerechtigkeit selbst verfahren sein würde; in betreff dessen aber, was dir von außen zustößt, zu bedenken, daß es entweder von einem Zufall oder von einer Vorsehung herrührt, den Zufall aber soll man weder anklagen noch soll man sich über die Vorsehung beschweren. Zweitens, bei jedem Wesen darauf zu achten, wie es von seiner Empfängnis an bis zu seiner Beseelung und von seiner Beseelung an bis zu seiner Entseelung beschaffen ist, desgleichen aus welcherlei Bestandteilen es besteht und in welche es wieder zerfallen wird. Drittens, daß, wenn du, plötzlich über die Erde emporgerückt, von oben herab auf die Menschenwelt herniederschauen, den großen, vielgestaltigen Wechsel in derselben wahrnehmen und zugleich den ganzen Umkreis luftiger und ätherischer Wesen mit *einem* Blicke übersehen könntest, daß du dennoch, sage ich, so oft du emporgerückt würdest, immer wieder dasselbe, nämlich alles gleichförmig und kurzdauernd finden müßtest. Und hierauf dürftest du stolz sein.

193 Ähnlich sagt Paulus: Welche der Geist Gottes treibt, die sind Gottes Kinder (Röm. 8,14).

25.

Mache dich nur von den Vorurteilen los, und du bist
gerettet. Wer hindert dich aber, dich davon loszumachen?

26.

Beklagst du dich über irgend etwas, so hast du vergessen,
daß sich alles der Allnatur gemäß ereignet und daß
fremde Vergehungen dich nicht anfechten sollen; ferner
vergessen, daß alles, was geschieht, immer so geschehen
ist, immer so geschehen wird und überall jetzt so geschieht; vergessen, welch innige Verwandtschaft zwischen dem einzelnen Menschen und dem ganzen Menschengeschlecht besteht; denn hier findet nicht sowohl
eine Gemeinschaft von Blut oder Samen als vielmehr
Teilhaftigkeit einerlei Geistes statt. Du hast aber auch
vergessen, daß der denkende Geist eines jeden gleichsam
ein Gott und ein Ausfluß der Gottheit ist; vergessen, daß
niemand etwas ihm ausschließlich Eigenes besitzt, sondern sein Kind sowohl als sein Leib und selbst seine Seele
aus jener Quelle ihm zugekommen ist; vergessen endlich,
daß jeder nur den gegenwärtigen Augenblick lebt und
folglich auch nur diesen verliert.

27.

Rufe dir immerfort diejenigen wieder ins Gedächtnis zurück, die sich über irgend etwas, zum Beispiel über wid-
rige Zufälle und Feindseligkeiten, gar zu sehr betrübt
oder die durch die größten Ehrenstellen oder durch andere Glücksumstände großes Aufsehen erregt haben.
Dann frage dich: Wo ist jetzt das alles? Rauch ist's und
Asche, ein Märchen oder auch nicht einmal mehr eine
Märe. Vergegenwärtige dir auch so vieles andere der Art,
zum Beispiel was Fabius Catullinus[194] auf seinem Land-
gut, Lusius Lupus in seinen Gärten, Stertinius in Bajä,

194 Die hier Genannten lebten wahrscheinlich in Üppigkeit und Schwelgerei.

Tiberius auf Caprea, Rufus in Velia getrieben haben und
überhaupt alle, die von Leidenschaften besessen waren.
Bedenke, wie geringfügig jeder Gegenstand ihrer Bestrebungen gewesen und wieviel philosophischer es wäre,
sich bei jeder dargebotenen Gelegenheit gerecht, besonnen, den Göttern folgsam und ohne Gleißnerei zu zeigen. Denn der Hochmut, der sich mit scheinbarer Demut
brüstet, ist der allerunerträglichste.

28.

Fragt man dich, wo du denn die Götter, die du so hoch
verehrst, gesehen und woraus du ihr Dasein erkannt hast,
so antworte: Sie sind erstens schon für das leibliche Auge
sichtbar;[195] zweitens habe ich auch meine eigene Seele
nicht gesehen und ehre sie dennoch. Gerade so halte ich
es auch mit den Göttern. Aus den von allen Seiten mir
gebotenen Proben ihrer Macht schließe ich auf ihr Dasein
und verehre sie.

29.

Bei jedem Gegenstande zu sehen, was er im ganzen, was
er nach seinem Stoffe, was weiter nach seiner Wirkungs-
kraft sei, von ganzer Seele das Rechte tun und das Wahre
reden; darauf beruht die Glückseligkeit des Lebens.
Reihst du dergestalt Gutes an Gutes, ohne den mindesten
Zwischenraum zu lassen, was anderes ist dann die Folge
hiervon als froher Lebensgenuß?

30.

Es gibt nur *ein* Sonnenlicht, obgleich es durch Wände,
Gebirge und andere Dinge bis ins Unendliche zerteilt
wird. Ebenso gibt es nur *ein* gemeinsames Grundwesen,
wenn es auch in tausend eigentümliche Körperbildungen
sich spaltet – nur *eine* Seele, wenn sie auch unter zahllose

195 Gottes unsichtbares Wesen wird erkannt an den Werken, nämlich an
der Schöpfung der Welt. Vgl. Röm. 1,20.

Naturwesen von eigentümlichen Begrenzungen zerteilt wird; _einen_ denkenden Geist, obgleich auch er zerteilt scheint. Nun sind zwar einige Teile der genannten Gegenstände, wie die Lebensgeister und die ihnen unterstellten Körper, ohne Empfindung füreinander und ohne wechselseitige Zuneigung, und doch hält auch sie der vernünftige Weltgeist und das Gesetz der Schwere zusammen. Nur die denkende Menschenseele hat einen eigentümlichen Zug zu dem ihr Verwandten, tritt mit ihm in Verbindung, und nie wird dieser Trieb zur Gemeinschaft gehemmt.

31.

Was wünschst du? Länger zu leben? Das heißt zu empfinden? Dich zu bewegen? Zu wachsen? Wiederum stillezustehen? Deine Stimme zu gebrauchen? Nachzudenken? Was von allem diesem scheint dir so wünschenswert? Ist aber eines wie das andere geringfügig, so wende dich dem letzten Ziele zu, dem Gehorsam gegen die Vernunft und gegen die Gottheit. Der Verehrung dieser widerspricht es jedoch, wenn man sich von dem Gedanken gedrückt fühlt, durch den Tod der erstgenannten Dinge beraubt zu werden.

32.

Welch kleines Teilchen der unendlichen und unermeßlichen Zeit ist jedem von uns zugemessen, und wie plötzlich wird es wieder von der Ewigkeit verschlungen! Was für ein winziges Teilchen ist der Mensch im Verhältnis zum Weltganzen, welch kleines Teilchen von der ganzen Weltseele! Wie klein ist endlich das Erdenklümpchen, auf dem du umherkriechst! Dies alles bedenke und halte dann nichts für groß als das: zu tun, wie deine Natur dich leitet, und zu leiden, wie die Allnatur es mit sich bringt.

33.

Welchen Gebrauch macht die herrschende Vernunft von sich selbst?[196] Hierauf kommt alles an. Das Übrige aber, mag es von deiner Willkür abhängen oder nicht, ist nur Totenstaub und Dunst.

34.

Das kann uns am meisten zur Todesverachtung anspornen, daß selbst diejenigen, die Sinnenlust für ein Gut und den Schmerz für ein Übel erklärten, dennoch alles das verachtet haben.

35.

Wer das, was die Zeit schickt, für gut hält, wem es gleichgültig ist, ob er eine größere oder kleinere Zahl vernunftgemäßer Handlungen aufzuweisen hat, wer zwischen einer länger oder kürzer dauernden Betrachtung der Welt keinen Unterschied macht, der sieht dem Tod nicht mit Schrecken ins Angesicht.

36.

O Mensch, du bist in dieser großen Stadt Bürger gewesen, was liegt daran, ob fünf oder dreißig Jahre? Was den Gesetzen gemäß ist, ist für niemand hart. Was ist denn Schreckliches, wenn du nicht durch einen Tyrannen, nicht durch einen ungerechten Richter, nein, durch eben die Natur, die dich in diesen Staat eingeführt hat, wieder hinausgesandt wirst? Es ist nichts anderes, als wenn ein Schauspieler durch denselben Prätor,[197] der ihn angestellt hat, wieder entlassen wird. – »Aber ich habe nicht fünf Akte gespielt, sondern erst drei.« – Wohl gesprochen; doch im Leben sind drei Akte schon ein ganzes Stück. Denn den Schluß bestimmt derjenige, der einst das Ge-

196 Vgl. 5,11.
197 In der Kaiserzeit oblag den Prätoren hauptsächlich die Sorge für die Festspiele.

samtspiel einrichtete und es heute beendet; weder das eine noch das andere hängt von dir ab. So scheide denn freundlich von hier; auch er, der dich entläßt, ist freundlich.

Römische Literatur

IN RECLAMS UNIVERSAL-BIBLIOTHEK

Cicero

Cato maior de senectute / Cato der Ältere über das Alter. Lat./dt. 141 S. UB 803

De finibus bonorum et malorum / Über das höchste Gut und das größte Übel. Lat./dt. 543 S. UB 8593

De imperio Cn. Pompei ad Quirites oratio / Rede über den Oberbefehl des Cn. Pompeius. Lat./dt. 88 S. UB 9928

De natura deorum / Über das Wesen der Götter. Lat./dt. 480 S. UB 6881

De officiis / Vom pflichtgemäßen Handeln. Lat./dt. 455 S. UB 1889

De oratore / Über den Redner. Lat./dt. 653 S. UB 6884

De re publica / Vom Gemeinwesen. Lat./dt. 416 S. UB 9909

Drei Reden vor Caesar. Lat./dt. 143 S. UB 7907

Epistulae ad Atticum / Briefe an Atticus. Lat./dt. 279 S. UB 8786

Epistulae ad Quintum fratrem / Briefe an den Bruder Quintus. Lat./dt. 251 S. UB 7095

Laelius, Über die Freundschaft. 87 S. UB 868

Philippische Reden gegen M. Antonius. Erste u. zweite Rede. Lat./dt. 200 S. UB 2233

Pro M. Caelio oratio / Rede für M. Caelius. Lat./dt. 159 S. UB 1237

Pro A. Licinio Archia poeta oratio / Rede für den Dichter A. Licinius Archias. Lat./dt. 56 S. UB 1268

Pro P. Sestio oratio / Rede für P. Sestius. Lat./dt. 205 S. UB 6888

Rede für Sextus Roscius aus Ameria. Lat./dt. 148 S. UB 1148

Rede für Titus Annius Milo. Lat./dt. 160 S. UB 1170

Rede über den Oberbefehl des Cn. Pompeius. Rede für den Dichter A. Licinius Archias. 64 S. UB 8554

Reden gegen Verres I. Lat./dt. 130 S. UB 4013 – *II.* 168 S. UB 4014 – *III.* 208 S. UB 4015 – *IV.* 261 S. UB 4016 – *V.* 183 S. UB 4017 – *VI.* 200 S. UB 4018

Tusculanae disputationes / Gespräche in Tusculum. Lat./dt. 563 S. UB 5028

Über den Staat. 189 S. UB 7479

Über die Rechtlichkeit (De legibus). 150 S. UB 8319

Vier Reden gegen Catilina. 88 S. UB 1236 – Lat./dt. 149 S. UB 9399

Cicero zum Vergnügen. 184 S. UB 9652

Philipp Reclam jun. Stuttgart

Römische Literatur

IN RECLAMS UNIVERSAL-BIBLIOTHEK

Dichtung

Catull, *Gedichte.* 133 S. UB 6638 – *Sämtliche Gedichte.* Lat./dt. 246 S. UB 9395

Horaz, *Ars poetica / Die Dichtkunst.* Lat./dt. 70 S. UB 9421 – *Epistulae / Briefe.* Lat./dt. 70 S. UB 432 – *Gedichte.* 80 S. UB 7708 – *Oden und Epoden.* Lat./dt. 328 S. UB 9905 – *Sermones / Satiren.* Lat./dt. 232 S. UB 431 – *Sämtliche Gedichte.* Lat./dt. 828 S. Gebunden

Juvenal, *Satiren.* 253 S. UB 8598

Laudes Italiae / Lob Italiens. Griech. und lat. Texte. Zweisprachig. 192 S. UB 8510

Lukrez, *De rerum natura / Welt aus Atomen.* Lat./dt. 637 S. UB 4257

Manilius, *Astronomica / Astrologie.* Lat./dt. 533 S. 11 Abb. UB 8634

Martial, *Epigramme.* 166 S. UB 1611

Ovid, *Amores/Liebesgedichte.* Lat./dt. 263 S. UB 1361 – *Ars amatoria / Liebeskunst.* Lat./dt. 232 S. UB 357 – *Metamorphosen.* Epos in 15 Büchern. 792 S. UB 356 – *Metamorphosen.* Lat./dt. 997 S. UB 1360 – *Verwandlungen.* Auswahl. 93 S. UB 7711

Phaedrus, *Liber Fabularum / Fabelbuch.* Lat./dt. 240 S. UB 1144

Plautus, *Amphitruo.* Lat./dt. 160 S. UB 9931 – *Aulularia / Goldtopfkomödie.* Lat./dt. 112 S. UB 9898 – *Menaechmi.* Lat./dt. 152 S. UB 7096 – *Miles gloriosus / Der ruhmreiche Hauptmann.* Lat./dt. 183 S. UB 8031

Properz, *Sämtliche Gedichte.* Lat./dt. 419 S. UB 1728

Römische Lyrik. Lat./dt. 514 S. UB 8995

Seneca, *Apocolocyntosis / Die Verkürbissung des Kaisers Claudius.* Lat./dt. 94 S. UB 7676 – *Medea.* Lat./dt. 167 S. UB 8882 – *Oedipus.* Lat./dt. 141 S. UB 9717

Terenz, *Adelphoe / Die Brüder.* Lat./dt. 128 S. UB 9848 – *Der Eunuch.* 77 S. UB 1868 – *Phormio.* Lat./dt. 147 S. UB 1869

Vergil, *Aeneis.* 421 S. UB 221 – *Aeneis.* 1. und 2. Buch. Lat./dt. 202 S. UB 9680 – *Aeneis.* 3. und 4. Buch. Lat./dt. 221 S. UB 9681 – *Aeneis.* 5. und 6. Buch. Lat./dt. 295 S. UB 9682 – *Georgica / Vom Landbau.* Lat./dt. 123 S. UB 638 – *Hirtengedichte (Eklogen).* 77 S. UB 637

Philipp Reclam jun. Stuttgart

Römische Literatur

IN RECLAMS UNIVERSAL-BIBLIOTHEK

...hilipp Reclam jun. Stuttgart

Römische Literatur

IN RECLAMS UNIVERSAL-BIBLIOTHEK

Geschichtsschreibung

Philipp Reclam jun. Stuttgart